Senju-maru & Moroe
朝秋夜ロマンセ」

「く、国経様!?　や、やめっ、おやめを!」

その怯えた表情の色めかしさ!

「ならぬ、これは仕置きだ」

国経は勝ち誇る思いで言ってやった。

（本文P.134より）

Chara

王朝秋夜ロマンセ

王朝春宵ロマンセ3

秋月こお

キャラ文庫

この作品はフィクションです。
実在の人物・団体・事件などにはいっさい関係ありません。

目次

口絵・本文イラスト／唯月　一

その朝、千寿丸《せんじゅまる》は目が覚めると同時に（今日は大忙しじゃぞ）と自分に言い聞かせた。

朝といっても、宮中の官人《かんじん》のそれは夜明けよりずっと早い時刻から始まるので、千寿丸が寝床を出たのは、まだ空には一面に星がきらめいているころである。

一つ床で一枚の掛け具を分けて眠ったお方をお起こししないように、そっと寝床から抜け出すと、まずは眠気を追い払うために、両腕を頭の上に上げて思いきりフワ～と大あくびをした。もちろん、大口を開けた見苦しい顔などをうっかり諸兄様《もろえ》に見られてしまったら、たいそう恥ずかしいことだから、あくびは声を殺してやる。

十四歳の少年が、若い柳のそれのような細腰を、こぶしでとんとんたたく理由というのは、むろん各人各様というものだろうが、端正な中に気品と色香をないまぜに刷《は》いた美貌《びぼう》は、咲き初めの花といった風情の美少年が、男の眠る床の横でそれをやっていれば、まあ十人中八人はおなじ推測を抱くだろう。ましてや昨夜この曹司《ぞうし》（部屋）から洩《も》れていた艶《なま》めかしい忍び音を耳にしていれば、もう何をか言わんやだが、さいわい千寿のそうしたしぐさを目にした者はいなかった。

諸兄様はまだよくお寝《やす》みだし、千寿を起こしてくれた夜番の舎人《とねり》は、いつものごとく曹司の外から声だけかけると、さっさと次の仕事をしに行ったからだ。

さて、とりあえず眠気を払うと、千寿はそっと曹司を出て井戸端に向かった。あたりに気を配りながらだったのは、単衣《ひとえ》一枚というういかにも寝起きのはしたない姿を、人に見られたくなかったからである。

蔵人所町屋《くろうどどころまちや》（蔵人たちの官舎）の外にある井戸のところにはまだ人影はなく、千寿は（よかった、間に合った）とほっとしながら単衣を脱いだ。

全裸の体にザバザバと水を浴びて昨夜の汗やらその他を洗い流し、顔も洗い髪を調《ととの》えると、大急ぎで曹司に戻り、夜番が灯していった縁先の吊り燈籠《どうろう》の明かりを頼りに、今日のためのいただき物である水干《すいかん》上下を着込んだ。

『花薄《はなすすき》』という色目だそうな、表は白で裏は縹《はなだ》（藍染めの青色）の水干は、諸兄様のお母上の桂子《かつらこ》様から贈られた物。秋とはいえまだ暑気が残った陽気の中で着るのにふさわしい涼しげな色合いは、千寿も一目で気に入ったものだった。

桂子様は宮中で内親王（天皇の娘）に仕えたこともある方で、着る物や持ち物の趣味については、雅《みやび》や流行にうるさい女官《にょかん》たちの尊敬を集めるほどの一家言をお持ちだ。

その桂子様の目下のお楽しみは、千寿丸をあれやこれやと着飾らせること。一人息子の諸兄様は、袖《そで》を通す物にはまったく興味がないお方なので、その張り合いのなさを千寿で埋めておられるらしい。

千寿としてはもちろんいただき物はうれしいのだが、桂子様が下されるのは千寿の身分にそぐわない高価なお品ばかりで、ご用に駆けまわるのが仕事の千寿には、荷が重くないこともない。

いただき物を汚したり破ったりしてはならないと気を遣いながら働くのは、桂子様のお心のありがたさと差し引いても、ちょっと……正直に言えば、かなり……負担だったりしている。

水干の首上《くびかみ》（襟《えり》）の緒を形よく結んで身じまいを終えると、千寿は次の仕事に取りかかった。

「諸兄様、ご起床の刻限でござりまする」

と声をかけると、床畳から足が出てしまうほど丈高いお方は、「ううむ」と顔をしかめて、どうにも眠たそうに目をお開けになった。

「……もう朝か」

「はい。先ほど寅《とら》の一刻（午前三時ごろ）の鐘が鳴りました」

「やれやれ……起きよう」

寝床に起き上がった諸兄様にお召しの単衣をお脱ぎいただき、用意の耳盥《みみだらい》の水で濡《ぬ》らした布でお体を拭《ふ》き始めた。

どこにいらしてもどなたよりも頭一つ分ほど背が高く、肩幅もがっしりと広い諸兄様の体格は、女官たちに言わせると「まるで東夷《あずまえびす》のような武骨さ」だそうで、つまり評判がよくないのだが、千寿は（うらやましい）と思っている。

年ごろからすると小柄で、骨からして華奢《きゃしゃ》な作りであるらしい自分の体格を、千寿はおおいに不満に思っていた。まだ十四だから、いまからまだ育つには違いないが、できれば諸兄様ぐらいの背丈や肩幅が欲しいものだと思う心と裏腹に、自分のタチは業平《なりひら》様に似ているようだとも思う。おとなになっても華奢に見える体格というのは、ありがたくないのだが……こればかりは生まれつきが決めるものらしい。

そんなことを考えながら、男らしい大きなお背中をせっせとお拭きしていた千寿に、諸兄様がしみじみとした調子でおっしゃった。

「そなたは元気だなあ」

千寿はぼっと赤くなった。せっかく考えないようにしていたことを、その一言で思い出してしまったのだ。

「いえ、起きるのがつろうございました」

と言ったのは、こういう時にお答えをしないと諸兄様がお拗《す》ねになるからで、言った声が蚊の鳴くようだったのは、後朝《きぬぎぬ》にそうしたことを口にするのはひどく恥ずかしいからだ。しかも体はまだあれこれをありありと覚えていて、そこやらあれやらがキュウンと甘く痺《しび》れるような心地をよみがえらせ、そうしたはしたない自分がまた恥ずかしい。

それなのに諸兄様は、

「ふむ？　それはいかん、どこがつらい？」

などという、千寿がもっと赤くなるようなことをお聞きになった。

「眠くてつろうござりましたっ」

と返して、拭《ぬぐ》い布を絞り直そうと耳盥に向き直った。

「ふむ。それならば俺も同じことだが……もしや、ここが痛むのではあるまいな」

言いながら諸兄様は、ご心配の箇所を教えてくださろうと尻をお撫《な》でになり、千寿はカアッと耳まで赤くなった。

「そ、そこは痛くはありませぬ、おやめくださりませ」

「ではどこだ？　胸か？　強う吸い過ぎて痛がらせた覚えがあるが」

「違いまするっ」

羞恥《しゅうち》に泣きそうになりながら千寿は言い、もっと何か言われるよりはと白状した。

「こ、腰が、いささかだるいだけでござりまする。あの、脚も」

諸兄様のお尋ねは、心底から千寿の体を気遣ってくださってのことなので、納得が行かれるまでしつこくお聞きになるのだ。

「そうか、そのように疲れさせてしもうたか」

諸兄様はため息をつかれ、言い継がれた。

「十日ぶりであったので、離しがたくてつい長々としてしもうた。今日はそなたは舞い舞台にも立つというに、すまなかったな」

「い、いいえ。あの……千寿もうれしゅうござりましたので」

うなじまで紅色に染めて小さな声で申し上げた。

「そうか」

諸兄様はうれしそうにおっしゃり、

「おっと、いかん」

とお気持ちを切り替えられた。

「今朝は早出であったな。節会《せちえ》の日はあれこれ忙しくてかなわん」

「はい」

とお答えして千寿は大急ぎで拭い残しを片づけ、裸でお立ちになった諸兄様の大口《おおぐち》（下袴《したばかま》）から始める着つけに取りかかった。昨夜さんざんいただいたそこを見ないように目を伏せてしたのは、萎《な》えていてもご立派なそれに、朝にふさわしくないあらぬ心地を掻《か》き立てられてしまわないためだ。


千寿の仕事は、帝《みかど》の蔵人所《くろうどどころ》（秘書室）の小舎人童《ことねりわらわ》（小間使い）というものだ。

そもそもはただの家人《けにん》（召使い）として諸兄様にお仕えしていたのだが、蔵人を務めておられる諸兄様が、お忙しい職務の手伝いが欲しいとおっしゃって、蔵人頭《くろうどのとう》の方々に「千寿丸を蔵人所の小舎人童に」と推挙してくださった。無位無官の未成年者が仰《おお》せつかるお役目だから、蔵人所での方々のこまごましたお世話や、重要ではないお使いをする雑用係だが、体を動かすのは苦にならない千寿には、向いた仕事である。

もっとも楽しいことばかりではなかったが……

千寿の美しさに目をつけた美少年趣味のやからから、口説かれたり狙われたり、あるいは通りすがりに尻を触られるといった不愉快は日常茶飯事だったし、それ以上につらいのが、たいそう堅苦しい職場だということだ。

それというのも、蔵人所といえば帝がお出しになる宣旨《せんじ》（命令などの公文書）を取り扱う部署で、それもつねに帝のおそばにひかえて、帝の仰せ出しをその場で文書に作り上げ、でき上がった書類を関係各省の担当者に伝達する……すなわち文字どおりに帝の手足をお務めするのが蔵人所の任務であり、蔵人という役職である。

だから出仕《しゅっし》の時には、帝のおそばにひかえるのに失礼がないよう、もっとも重い正装である束帯《そくたい》に身を固めているし、仕事の相手は、左右大臣をはじめとした『公卿《くぎょう》』と呼ばれる殿上《てんじょう》人《びと》たち……帝の御殿に上がることを許された最高貴族たちだ。

しかも蔵人というのは、お役目は重いが位はそう高くはない。監督役である頭の方々は別として、たとえば実働部隊筆頭であられる諸兄様も、位階はまだ『正六位上《しょう》』といったぐあいに、貴族としては中級位程度の者たちである。

よって大臣や大納言《だいなごん》や参議《さんぎ》といった高位の高官の前では、当然のこととして、身分差をわきまえたふるまいが要求される。いかに帝の側近だろうが、廊下で正一位の右大臣様と行き合ったような時には、いち早く端にひかえ頭を下げて、お通りを待たなくてはならないのだ。

千寿が（つらい）ないし（面倒だ）とも思うのは、そうした面での堅苦しさだった。

中級貴族である蔵人たちでさえ、さまざまに気を遣わなくてはならない『殿上』という職場は、無位無官の雑人に過ぎない千寿には、いっそうの気働きを要求する。四位以上の位袍《いほう》（位によって色が決まっている公務用の束帯のこと）を見かけたら、よくよく行儀に気を配らなくてはならない。声をかけられでもしたら、礼儀として目は伏せたままで相手が誰かを判断し、適切に返事もできなければならない。気疲れという点では、毎日が過労状態もいいところの小舎人童生活なのである。


二人が支度を急いだのは、諸兄様がおっしゃったように、今日が節会の日だからだった。

宮中ではさまざまな年中行事があるが、中でも、元旦と一月六日、七日、三月三日、五月五日、そして七月七日と十一月十一日は、『節会』と呼ぶ公式の行事としておこなわれる。

いま季節は立秋を過ぎて暦は文月《ふみづき》に入り、今日はその七日……つまり七月七日のたなばたの節会が執り行われる日なのだ（現在使われている太陽暦では八月下旬ごろになる）。

たなばたといえば、唐《とう》から伝わった牽牛《けんぎゅう》と織女《しょくじょ》の伝説が有名で、今夜の歌会では、想い合いながらも年に一度の逢瀬《おうせ》しか持てない二人の悲恋を題材にした歌が詠《よ》まれる。

しかし正式な節会としておこなうのは、『乞巧奠《きこうでん》』という織女を祭る行事で、織部司《おりべのつかさ》（宮中の機織《はたお》り所）が管轄する。これは織姫星《おりひめぼし》を祭る星祭りで、天の機織りの名手である彼女にあやかって、布織りや裁縫、染色といったわざや書道などの技芸にすぐれるよう祈るのだ。

そして千寿が早暁から忙しい理由は、官女たちが星祭りの供え物に捧げる思い思いの短冊書きのおかげだった。

諸兄様の装束の着つけを終えると、千寿は「では行ってまいります」と、駆け出す用意に腰を浮かせた。

「ああ、頼むぞ。業平殿は、蓮の葉に宿った露がいいとか言うていたが、そんな贅沢《ぜいたく》が言っていられるか。芋《いも》の葉のでもなんでもいい、ともかく集められるだけ集めてきてくれ」

「はいっ」

漆塗《うるしぬ》りの小鉢を持って町屋を飛び出した千寿の目当ては、宮中の菜園である。束帯の着つけは時間がかかるので、時刻はもう寅の三刻（午前四時ごろ）を過ぎ、空はうっすらと朝ぼらけの色を見せ始めているが、手元足元はまだ暗い。

衛士《えじ》にわけを言って門を通してもらい、大内裏《だいだいり》の北にある広大な菜園の一郭の芋畑に踏み込んだ。

「ええとお……うん、降りてる降りてる。ちょうだいいたしまする」

小鉢を持って集めに来たのは、芋の葉に宿った朝露である。里芋や蓮の葉は、雨を受け取る形をしていて、夜のあいだに降りた露も、葉の上から落ちずにたまっている。葉の端を持ってそっと傾けると、葉にたまったしずくは水の玉となってころころと転がってくる。それを小鉢に受けるのだ。

朝露を集めるのは、これを使って墨をすり、織女に捧げる短冊を書くためだ。そうすると字や詩が上手になるのだという。

その墨すり用の露を「集められるだけ」集めなくてはならないのは、宮中勤めの女官たちから口々にお願いされているからで、頼まれた相手の数は千寿だけでも二十人を越える。諸兄様が頼まれてこられたぶんも合わせると五、六十人分の朝露が必要で、この小鉢に一杯集めても足りるかどうか。

そして朝露というのは、日が昇ればたちまちに干されてしまうものなので、それまでの短いあいだに必要なだけ集め終えなくてはならない。時間と競走での急ぎ仕事なのである。

畝《うね》にずらりと並ぶ里芋の株の、大きく育った葉をかたっぱしから注意深く傾けては、ころころっと転げてきた水の玉を鉢に受ける。うっかりほかの葉にまで触ると、せっかくたまっている露が採る前にこぼれて落ちてしまうので、水干の袖は肩までたくし上げてある。

鼻の頭に汗をかきながらせっせと手を動かして、小鉢の半分ほどまで露がたまったところでだった。

「なんじゃ、芋泥棒ではなかったか」

という声に、「え？」と振り向いた。

声の主は背後には見当たらず、「え？」と首をかしげた。

「ここじゃ、ここじゃ」

そう笑った声には聞き覚えがあり、腰を屈《かが》めて株のあいだをのぞき込んで、男の顔を見つけた。男は、千寿が朝露を採っていた畝の、隣の畝の芋の葉の下に寝ころんでいたのだ。

思いがけない再会にびっくりしながら、

「これは盗賊の以蔵《いぞう》様、また異なところでお目にかかりまする」

と挨拶《あいさつ》した千寿に、以蔵はクッと苦笑いして言った。

「おいおい、『様』はよけいだし、言うなら『傀儡《くぐつ》の』か『山城《やましろ》の』ということにしておいてくれ。誰ぞに聞かれたら首が飛ぶ」

千寿はハッとあたりを見まわし、近くには誰もいないのを確かめた。

「あの時はお助けまことにありがたくございましたので、以蔵様とお呼びするのが筋であろうと存じまする。『と』で始まるご身分については、たしかに口にはいたさぬべきでございました。以後は気をつけますので、どうぞお許しくださりませ」

千寿はまじめにそう返し、以蔵はクックッと笑って、

「その気持ちはありがたいが、せめて『どの』ぐらいにしてくれ」

と注文をつけてきた。

「そなたのような御曹司に『以蔵様』などと呼ばれては、どうにも尻がこそばゆくてかなわん」

「わしは御曹司などではござりませぬ。ただの小舎人童でござりまする」

言って、思い出したことをつけくわえた。

「そう申せば、あの折には名乗りもせずにお別れし、失礼いたしました。わたくしは正六位上の蔵人・藤原《ふじわら》諸兄様の家人で、千寿丸と申します」

芋の根方に寝そべったまま以蔵はフフと笑い、からかう調子で言った。

「おうおう、知らいでか。『極臈《ごくろう》の蔵人』の位袍を賜《たまわ》った、まじめ一方の朴念仁《ぼくねんじん》であらしゃるかの御曹司が、誉《な》め転がすように愛しんでおる思い人じゃろうが」

千寿が首まで真っ赤になったのは、もしや曹司での秘め事をのぞかれたかと思ったからだ。

そして以蔵はニヤリと相好《そうごう》を崩した。

「ハハ、その顔からすると俺が思うたとおり、そちらの噂《うわさ》が『当たり』じゃったか。在原朝《ありわらのあ》臣《そん》業平様と好い仲だという噂もあるゆえ、どっちが本当か、傀儡宿の連中と賭《か》けておってな。やれ、俺の勝ちだな、儲《もう》けた儲けた」

ああしたことを見られたわけではないらしいとホッとしつつ、気になる引っかかりを聞いてみた。

「その噂というのは、どちらで……?」

「あちこちさ。女官も舎人も、暇を持て余しておるな」

「……傀儡の方々も？」

「まあ、そう言えばそうとも言えるが。傀儡どものあいだでは、そなたはたいした人気でな。山城の猪次《いのじ》一座が吹聴した『如意輪寺《にょいりんじ》の跳ねっ返り稚児《ちご》が、育ての恩に報いて慈円阿闍梨《じえんあじゃり》を悪僧どもから救った顚末《てんまつ》』が、傀儡宿での夜話の一番人気になっておるせいじゃが。

いまでは『見目は天人ぶりの麗しい美童にして、やることは勇猛果敢な武者のごとき』千寿丸の名を、知らぬ傀儡はおらぬだろうな。阿闍梨を救うた千寿丸の活躍が、『身につけた傀儡のわざ』を生かしたおかげだったというくだりが、おおきに皆の気に入ったのよ。

じゃによって、話を聞いた傀儡の者は、一度はそなたを見物に来ておるじゃろう。俺はあの時が初めてじゃったが、見目と身のこなしで即座に、噂の童じゃとわかったしな」

あの夜の無口さとは打って変わった以蔵の饒舌《じょうぜつ》に、

「さようでござりまするか」

と相づちを打った千寿は、話を切り上げる必要を覚えていた。空がどんどん明るくなってい るのだ。

「その節は、あのお頭様《かしら》や一座の皆様にたいそうお世話になりました。お会いになられることがあられましたならば、千寿丸は元気でお役に励んでおりますことを、よろしゅうお伝えくださりませ」

そう頭を下げ、「急ぎの仕事の最中でございますゆえ、これにて御免くださりませ」と断わって、露集めに戻った。

「芋の葉の露など集めて、何にするのじゃ？」

と聞いてきた以蔵に、

「方々が、たなばた祭りの短冊をお書きになるための、墨をするのに使われます」

と答えた。

「ほう。そりゃ何かのまじないか？」

「書や詩が上達するとのことでございまする」

「ふむ……風雅というものなのじゃろうかの。俺にはようわからんが」

「わしにもようわかりませぬ」

「ははは。まだだいぶ要《い》るのか？」

「この鉢にいっぱいまで集めまする」

「いまどれほどじゃ」

「半分でございまする」

「どりゃ、手伝ってやろう」

以蔵は起き上がってきて、折り取った大ぶりな葉を鉢代わりに抱えると、手際よく露を集め始めた。

「かたじけのうござりまする。以蔵殿にはお助けいただくばかりじゃ」

「なあに、こうして恩を売って、あわよくば朝めしにありつこうという下心よ」

「なるほど。町屋までおいでいただけますなら、なんとでもいたしまする」

「内裏のめしじゃ、さぞ旨《うま》かろう」

「どうでしょうか。寺の厨《くりや》のほうが料理は上手だったように思います」

「役人より坊主のほうが舌が肥えておるか。さもあろうな」

「舌がどうのと申すより、町屋の厨司《くりやのつかさ》殿は材料の使い方がしわいのでござりまする。汁の味噌《みそ》は味がするやらしないやらというぐらいにしか用いませぬし」

「はっはっは、そりゃたまらぬな」

「味噌の代わりに塩でごまかしますので塩辛うはござりまするが、旨味はまことに乏しい」

「ひどい料理番だな」

「まことかどうかわかりませぬが、舎人方の噂では、味噌の半分は司がこっそり銭に替えて着服しておるとか」

「そりゃ俺より悪いな。俺は仲間からは盗まぬぞ」

「ただの噂でござりまする」

気晴らしの口を動かしながらだったからか仕事はずんずんとはかどり、日が昇ってきた時には千寿の漆鉢はいっぱいで、以蔵も芋の葉鉢にたっぷりと露をためていた。

千寿は以蔵を伴って内裏に戻り、まずは校書殿《きょうしょでん》の蔵人所に行った。

「諸兄様、ただいま戻りました」

縁の外から声をかけて、朝露を満たした塗り鉢をお渡しした。

「おう、たくさん採れたな」

「まだござりまするので、なんぞ器をいただけませぬでしょうか」

「ん？　おお、その芋の葉の中もか？」

「はい。これなるはかねて存じよりの傀儡のお人にて、山城の以蔵殿と申されます。たまたまお会いいたしましたところ、朝露集めを手伝うてくだされました」

「そうか、それはかたじけなかった。器は……」

「俺がなんぞ見つくろうて来よう」

そう言って立ち上がって来られたのは、蔵人仲間の業平様だ。宮中一の美男と言われ、女官たちからの恋文が絶えないお方は、今朝も水際立った優男《やさおとこ》ぶりである。

「恐れ入りまする。何とおっしゃっていただければ、わたくしが取りに行ってまいります」

「なに、俺が行ったほうが早い」

業平様は出て行かれ、長々待つほどもなくお戻りになられた。手には朱塗りの浅鉢をお持ちだ。

「これ男、それを芋の葉ながら、これへ。そうだ、葉ごと入れてくれ。

うむ、よし。朱の鉢に、青の葉盛りの朝露。どうだ諸兄、雅趣《がしゅ》があろう?」

「なるほど、よい趣向だ」

「ではさっそく女官たちを喜ばせてくるかな」

「おいおい、それは千寿が集めてきたものだ。おぬしが頼まれたぶんまでは知らぬぞ」

「なあに、充分足りるさ。千寿は朝餉《あさげ》がまだだろう?」

「そうであった。千寿、配りに行くのはあとでよいゆえ、まずは朝餉を済ませて来い」

「はい、ありがとう存じまする。それで、あの」

目で以蔵を指して伺いを立てた千寿に、諸兄様は察しよくうなずいてくださった。

「以蔵と申したかな、そちらにもふるまってやれ」

「ありがとう存じまする」

その横から、業平様が(耳を貸せ)と手招きをなさり、仰せに応じた千寿の耳にヒソヒソとささやかれたのは、

「銭はあるか?」

「おう、そうか。つい忘れる」

諸兄様がひたいの冠ぎわをおかきになり、業平様がおっしゃった。

「小舎人の光正《みつまさ》に言うて、俺の手文庫の中にある、鹿の模様の錦《にしき》の袋を出してもらえ」

「いや、それはいかん。銭なら俺が」

諸兄様が割ってお入りになろうとされたが、

「用意があるのか？」

と聞き返されて、「う……」と黙ってしまわれた。

「何度言ってやっても、おぬしはいっこうに世事に慣れようとせず、そのたびに千寿が苦労する。ここは俺の手持ちを貸しておくぞ、いいな諸兄」

「す、すまぬ」

「というわけだ、千寿。遠慮なく使え」

「ありがとう存じまする」

以蔵を連れて蔵人所町屋に帰る道すがら、「内裏では衣食住は官給だと聞いていたが」と首をかしげてみせた以蔵に、銭を払うのは付け届けのようなものだと説明した。

「厨司へのか」

「はい」

「だったら俺は、どこぞで勝手にめしを食うたほうが気楽じゃったな」

勝手にというのは、どこかに忍び込んで盗み食おうということだろう。

「わしの稼ぎではない銭なのが心苦しゅうございますが、諸兄様も業平様も、遠慮をいたしますとお怒りになられます。大内裏で食事をなされたい時には、どうぞいつでもわしを頼ってくださりませ。せめてものご恩返しでござりまする」

「そなた、よくよく可愛《かわい》がられておるのじゃなあ」

　と嘆息されて、

「はい」

　と答えた。

「これもきっと不動明王《ふどうみようおう》のご加護でござりましょう」

　如意輪寺を出る時に、慈円阿闍梨様が祈ってくださったことを思い出し、それがまだ半年とは遠ざかっていない時の出来事であったのに気づいて不思議な気持ちを覚えていたら、以蔵殿が、

「はて、不動明王はその手の橋渡しもなさる仏じゃったか?」

　などとからかってきたので、

「さて、橋を架けるのに不動明王にお祈りするかどうかは、わしは存じませぬが」

　と、とぼけてやった。

　小舎人の光正殿は、ちょうどよく業平様の曹司でお仕事中だった。手文庫の中のこれこれをと頼むと、光正殿は「ああ、伺うておる」とすぐに手文庫を開けてくれ、

「三つあるが、どれかな」

　と聞いてきた。

「ですから、鹿の模様の錦の袋とおっしゃられました」

「だからそれがよ、大きいの小さいの中くらいのと三つある。中身はどれも銭だな」

「では小さい袋をくださりませ」

「この重さぐあいじゃと二、三十文のようだが、それでいいのか？」

「以蔵殿のぶんの朝餉を贖《あがな》う銭でござりまするゆえ、三文あれば充分と思いまする。三文だけくださりませ」

「欲のないやつよな」

光正殿は笑って、袋ごと取り出してきた銭を「持っていけ」と千寿に渡してくれながら言った。

「その以蔵という者は、そなたの血縁か何かか？」

「いえ、ご恩を受けました恩人でござります る」

「だったらの、厨司には十文渡して『恩人をもてなしたいゆえ、よろしゅう』と頼め。今日は節会で宴があるゆえ、ふだん舎人部屋ではお目にかからぬものを食わしてもらえよう」

「さようですか。ではそのように頼んでみまする」

厨ではちょうど司一人が竈《かまど》の番のような顔で座っていたので、「ご用に出ておりまして朝餉を食べはぐりました」と自分の食べるぶんを申請してから、

「それと、こちらのお人にも何か差し上げたいので、よろしゅうお頼みいたしまする」

と銭十枚をつけて言い添えた。

「はい。以前危ういところをお助けいただきました、大事なご恩人でござりまする。諸兄様も『ぜひもてなしてやれ』と仰せくださりまして」

「縁者殿か」

「ふむ」

「わしは次のご用に行かなくてはなりませぬゆえ、もてなしは司様にお頼みいたしたいのでござりまするが」

「ではこれは、一人分の代か?」

「はい。わしは急ぎますゆえ、汁かけめしでも湯漬けでも」

「わかった」

ホクホク気分でいることは渋面の下に隠し込んで、司は冷めた汁とめしに菜の漬物を添えて千寿に出してくれ、以蔵殿には「ちとお待ちあれ」と言い置いて厨を出ていった。

千寿が大急ぎで朝餉をかき込み終えたところへ戻ってきて、

「そら、これも食うていけ」

と懐から出してくれたのは、寺でもめったに食べたことがない甘い餡《あん》入りの餅《もち》だった。

そして以蔵殿の前に並べてくれたのは、これまた饗応《きようおう》の膳にしか載らないような、焼き魚や煮染《にし》めやなますなど七品ものご馳走《ちそう》。

「おう、こりゃあ豪勢な。ほんとうに食うてよいのか?」

「ああ、さっさと腹にしまってくれ。大膳所《だいぜんどころ》から横流ししてもろうた物ゆえ、ほかの者に見つかるとうるさい」

「ならば遠慮なく」

ガツガツと食べ始めた以蔵殿の横で、千寿もお流れの餡入り餅をおいしくちょうだいし、

「では以蔵殿、わしはこれにて」

と席を立った。

「おう、もう行くか」

「またお会いできればと存じまする」

「こんどはこちらが何ぞ土産を持って来よう」

そう言ってくれた以蔵殿に、ふと思いついたことを尋ねてみた。

「以蔵殿は市《いち》においでになることがござりまするか?」

「おう、行くが?」

「もしご迷惑でなかったら、手に入れていただきたいものがあるのですが」

「おう」

「煎《せん》じ湯にするアマチャヅルが欲しいのでござりまする。以前、傀儡のお方にいただきまして、諸兄様が『甘くて旨い』とたいへんお気に入られていたのですが、使いきっておりまして。お願いしてよろしゅうござりまするか?」

「うむ、かまわんぞ」

「ではこの銭で買うてきてくださりませ」

千寿は錦の袋を以蔵殿に差し出し、以蔵殿は「ハハ」と頭をかいた。

「人から銭を預かるのは初めてだ」

「おついでの時でけっこうでござりまするので、よろしゅうお願いいたします」

「おまえは何か欲しい物はないのか」

「はい。いただき物で足りておりますので。それでは、これにて」

「おいおい、いかほど預けたか、銭を数えておかんでいいのか？」

と聞かれて、

「そのようにするものなのですか？」

と首をかしげたら、呆《あき》れ顔で苦笑いされたが、千寿は銭はそのまま預け、司に礼を言って厨を出た。


蔵人所がある校書殿に入ろうとしたところで、若い声に呼び止められた。

「ちょうどよいところで会うた」

と言った声は、藤原国経《ふじわらのくにつね》様。

千寿はいやいや振り返った。

言葉など交わしたくないお方だが、中務省《なかつかさしょう》の内舎人《うどねり》という、蔵人所とは関係の深い役職におられる方なので、公務に関わる用件かもしれなかったからだ。

　ところが国経様が言ってこられたのは、

「その水干は誰の見立てかな? よく似合っていると言いたいが、そなたの顔だちには『花薄』は少し地味だ。『萩《はぎ》』か『女郎花《おみなえし》』がよかったろうに。うむ、近いうちに一枚贈ってやろう」

　国経様は右大臣良房《うだいじんよしふさ》様の甥御《おいご》で、顔だちが兄弟のように似ているそうな千寿にご執心。ただし本当に気に入られてのことではなく、最初の出会いで言われた「似た顔が気に障《さわ》る」とのお気持ちから、口説く体裁で悪からかいされてくるのだと千寿は思っている。

「せっかくの思《おぼ》し召《め》しでござりまするが、衣をいただくようないわれがござりませぬ。そのようなご厚情には主も戸惑いましょうゆえ、固くご辞退させていただきます」

　というのは表向きの断わり文句で、国経様からのいただき物など着たくないのが本心だ。

「まったくそなたはつれないが、いまのは少し礼にかなわぬ言い方だったたよ。男が衣を贈るといえば、いわれは決まっているものだ」

「では申し上げまするが」

　千寿はせいぜい冷ややかな慇懃《いんぎん》さを声に込めて返した。

「わたくしは女子《おなご》ではござりませぬゆえ、衣をいただくといえば禄《ろく》（賞与）ということになりまする。しかるにわたくしは国経様の家人ではなく、禄をちょうだいするような働きもいたしておりませぬので、衣などいただけぬと申しております」

「ああ、そのことならば」

国経様は薄く笑って、手にした笏《しゃく》の陰から小声で言ってきた。

「まもなくそなたはわたしの家人ということになるよ」

「えっ？」

「今日の舞いにそなたを賭けた」

「はあっ⁉」

「一番舞いの右方をわたしが、左方を業平殿が舞われるのは聞いているだろう？」

「は、はい」

「主上《おかみ》のお褒《ほ》めをいただいたほうが、そなたを得る、とね。賭けをした」

「う、嘘でござりまするっ。業平様はそのようなことはなさいませぬ！」

「諸兄殿もその場におられたゆえ、確かめてみればよかろう」

「そっ、そのようなこと、あるはずがっ」

思わず涙ぐんでしまった千寿に、国経様はクックと笑ってうなずいた。

「ああ、いまのは冗談」

「お人の悪い！」

「でもいつか必ずそうなるよ。わたしがそうすると決めているからね」

余裕たっぷりに言って、国経様は「さて」と踵《きびす》を返された。行きかけて振り向いて、おっしゃった。

「そなたの舞いが楽しみだ。良房叔父上のお気に召せば、右大臣家に召し抱えのお声がかかるかもしれぬゆえ、精いっぱいに舞うことだよ」

国経様がむこうを向かれるのを待って、千寿は思いきりアカンベエをしてやった。

「だーれが精いっぱいになど舞うものかっ。右大臣家に仕えたくなどないし、そもそもわしは舞いなど好かぬのですよーっだ」

雅楽《ががく》寮《りょう》からそういう話が来てしまったので、しかたなくうけたまわったのだ。

校書殿に戻ると、入念に身なりや髪を調え直してから、朝露を満たした小鉢を盆に載せ、庭づたいにまずは内侍所《ないしどころ》がある温明殿《うんめいでん》へ向かった。御殿に着くと、出庇《でびさし》の下の内侍所への入口の脇にひざまずいて、どなたか通りかかるのを待った。

女官といえどもみな五位や六位といった位階を持っていて、身分は千寿よりはるかに上。こちらから声を張り上げて呼び立てたりはできない。

やがて顔見知りの掌　侍《ないしのじょう》（内侍司の副長官）がしずしずと縁をやって来て、供のこれまた見知りの命婦《みょうぶ》が、ひかえている千寿に気づいてくれた。

「千寿丸ですか？」

「はい。皆様方にお頼まれいたしました朝露を持参いたしましてござりまする」

「それはご苦労でありました。お頼みなされたのはどなた方じゃ？」

「尚侍《ないしのかみ》の藤中納言《とうちゅうなごん》様、掌侍の小松少納言《こまつしょうなごん》様、典侍《ないしのすけ》の伊勢式部《いせのしきぶ》様、和泉大輔《いずみたいふ》様。命婦《みょうぶ》の肥前守《ひぜんのかみ》様、土佐介《とさのすけ》様、橘民部《たちばなのみんぶ》様。それから梨壺《なしつぼ》様にお仕えの播磨《はりま》様、小播磨《こはりま》様、藤壺《ふじつぼ》様にお仕えの因幡《いなば》様、淡路《あわじ》様、梅壺《うめつぼ》様にお仕えの伊勢《いせ》様、小美濃《こみの》様に」

頭の中で懸命に指折り数えながら申し上げていたら、

「もうよい」

と掌侍様に止められた。檜扇《ひおうぎ》の向こうで呆れ笑いをなされているようだ。

「やたら男子《おのこ》は入れまいらせぬ後宮なれど、そなたはまだ童ゆえ特に許そう。誰ぞにとがめられたなら、掌侍の山城守《やましろのかみ》の許しを得たと申せ」

「はい。ありがとうござりまする」

「わたくしの硯《すずり》にもひと玉分けてもらえようか？」

「かしこまりました」

「小周防《こすおう》、石見《いわみ》の命婦に案内をしてやるよう頼んでやってまいれ」

「かしこまりました」

お供の命婦はすらすらと裾《すそ》を引いて曹司のほうへ戻っていき、千寿は「お心遣い恐縮でござりまする」と頭を下げた。

「なに、そなたと会えるは女房どもの楽しみゆえ、気にすな」

四人いる掌侍のうち一番年かさの山城守様は、桂子様と仲がおよろしいそうで、たぶん桂子様からも頼まれておいでなのだろう。千寿に何かとよくしてくださるお方だ。

「ところで今日の船遊びでは、そなたが舞いを披露するそうじゃな」

「はい、なぜかそうしたお話に」

「何を舞う?」

「『迦陵頻《かりょうびん》』をと仰せつかっております」

「連れ舞いは東寺《とうじ》の稚児たちじゃというのはまことか?」

「はい。みな名手でござりまする」

「らちもない。雅楽寮がしたことか、式部省《しきぶしょう》の考えか」

腹立たしそうにおっしゃった掌侍様のお心は千寿にはわからず、答える必要もなさそうだったので黙っていた。

掌侍が桂子からひそかに千寿の真の身分を耳打ちされていることは、千寿のあずかり知らぬ隠し事だ。だから掌侍が腹を立てているのは、身分卑しい稚児たちと千寿を同列にあつかってのける措置についてだということも悟れるわけはない。

やがて小周防命婦が石見命婦をつれて戻ってきて、千寿は、石見様のご案内で朝露配りの曹司めぐりを始めた。

「尚侍様、蔵人所の千寿丸が、お頼みの物をお届けにまいっております」

といったぐあいに石見様が曹司内に声をかけてくださり、お付きの命婦やらが御簾《みす》の外へ差し出してくれた硯に、千寿が朝露をお注《つ》ぎする。

中には御簾越しに話しかけて来られるお方もあって、千寿は慎ましくお答えする。

「これはどちらで採ってまいった朝露じゃ？」

といったお尋ねに、芋畑です、などとばか正直な答えをしては、女官方のお気に染まない。

「夜じゅう天の川を仰ぎつつ袖を広げて待ちまして、川岸で彦星《ひこぼし》様が妹背《いもせ》の君を思うて落とされましたお涙を拾い採りましてござりまする」

といったぐらいの気の利いた返事が必要だ。

「それはまた、ずいぶんとお泣きになったのですね」

とは小鉢に一杯も泣いたのかというからかいなので、

「はい。残り一夜のご辛抱が、たいそうおつらいようでござりました」

と、とぼけてみせた。

「おまえにも、お人を思うて泣くような夜がおありか？」

というのは業平様との噂をにぎわそうというカマかけに違いないから、

「よく母を慕うて泣いていたと、慈円阿闍梨様がおっしゃっておられました」

とすっとぼけた。

「まっ、憎らしいごまかしようをすることねえ」

と言われても、べつに相手を怒らせたということではない。

「おそれ入りまする」

としとやかにかわして、腰を上げた。

歩き出した後ろで、女官たちがしゃべり合うのが聞こえた。

「まあまあ、あれが噂の千寿丸ですのね。おっしゃられていたとおり、ほんに美しいこと」

「心憎いまでに気の利いた返答ぶりは、左近将監《さこんしょうげん》様（業平のこと）のお仕込みでしょうかしら」

「もとは寺の稚児であったというから、問答には慣れておるのでしょう」

「そういえば今日は、船上での舞いを披露するとのことですね」

「ええ、ええ、童舞《わらわまい》の『迦陵頻』をやるとか」

「では四人舞ね。千寿丸のほかには誰が舞うのかしら」

「水に落ちたら危ないゆえ、東寺の稚児を借り出すそうですわよ」

「そりゃあ名のある家の御子というわけにはいかないわ」

などなど聞こえよがしにしゃべっているのを耳に、次の曹司に向かった。

「口さがないお人らじゃ。気にせぬことですよ」

石見様が小声で気遣ってくださったが、もともと千寿は気になどしていない。業平様との噂は、国経様のちょっかい出しへの対抗策として、わざとそう仕向けていることだし、元稚児の小舎人童という自分の身分も重々わきまえている。

「女人方と申されますのは、ようお口がまわられるものじゃと、感心いたしておりました」

という素直な感想を返した。

藤壺のある飛香舎《ひぎょうしゃ》で、退出して来られたらしい業平様と行き合った。縹《はなだ》色の位袍の片袖には、例の芋の葉を入れた浅鉢を抱えておられる。

「おや、そなたもここに用があるのかい？」

「はい。命婦の因幡様と淡路様にお届け物をいたしまする」

「それで最後？」

「いえ、まだ梅壺と梨壺の方々のところにもまいりまする」

「それは残念。だがそろそろ急いだほうがいい。舞い手は、帝がお着きになる前に楽屋に入っていなければならないよ」

「はい、急ぎまする」

答えて会釈し、行こうとした千寿を、業平様が呼び止めて来られた。

「お待ち、つむりに何やらかざしをつけている」

言いながらすっと寄り添って来られた業平様は、何を思われてか、ふわと持ち上げられた袍のお袖に千寿を包み隠すようにして肩を抱いて来られ、耳元でヒソリとおっしゃった。

「国経だ」

「あ……」

「ふふ、俺を捜しに来たようだね。千寿、すまぬが冠を直してくれぬか」

「手がふさがっております」

「片手でよいから。傾いているだろう？」

「ああ……はい、いささか」

　空いているほうの手を上げて、腰を屈めてくださった業平様の、冠のわずかな傾きを直して差し上げた。そうした二人の姿が、国経様からは昏でもつけ合っているように見えることなど、千寿はまるで気づいていない。

「これでよろしゅうございます」

　そうにこりとした顔が、穿《うが》った見方をする目からは、いかにも恋人とのつかの間の逢瀬をうれしがるように見えたことも。

「それでは、またのちほどに」

「ああ。そなたの舞い姿を楽しみにしているよ」

　と言われて、先ほどの国経様とのやり取りを思い出した。

「そのことでございますが、舞いの出来がよければ右大臣家にお召し抱えの声がかかるやもしれぬと、ある方から言われました。もしそうなりました時には、お断わりはできまするよね？」

「言ったのは国経？」

「はい」

「心配しないでよいから、手抜きなどせず舞いなさい」

業平様は目をキラッとさせながらおっしゃり、千寿は安心しつつ、

「東寺の稚児には負けませぬ」

とお答えした。

業平様とお別れして歩き出した千寿の頭の中は、（さて急がねば）と思う気持ちでいっぱいだったので、あとを振り向くことなど思いもよらず、おかげで業平様と国経様との何やら怪しげな一幕には気づかなかった。


業平が、思う存分に千寿を見送ってから国経を振り返ったのは、わざとである。

「おう、これは国経殿、先ほどの書状に何か不備でも？」

十八歳の国経は中務省の内舎人で、蔵人とおなじく帝の側近を務める。というよりも蔵人所が現在おこなっている職務は、もとは中務省が所管していたもので、令外官《りょうげのかん》として嵯峨《さが》天皇の御世に新設された蔵人所と、中務省とは、仕事がかぶることも多い部署である。

よって双方での書類の流通はよくあることなのだが、

「こ、このような物をお寄越しになるとは、ど、どういうご了見であられるのかっ」

国経がふるふると震えながら業平の胸に突きつけてきたのは、どう見ても公式書類には用いない淡紫色の薄様《うすよう》（私信用の薄紙）だ。

「ああ、そちらのことか」

業平は落ち着き払ってうなずいた。

「今宵《こよい》、ともに酒でもいかがかという招きの文《ふみ》だが、それがどうかなされたか」

「ど、どうかどころではありませんっ。た、たなばたの夜に、かわ、河原で会いたいというのはっ」

千寿の兄と見えないこともない美貌を真っ赤にして、胸ぐらをつかまんばかりに詰め寄った国経に、業平は懐から取り出した笏《しゃく》を口元にあてて「おほ」とほほえんだ。

「その意味、知っておられたか。なれば話が早い。どうかな？　ともに露に濡れつつ、しっぽりと」

「お断わりいたしますっ！」

「おや、つれない」

「そもそも、なぜわたしにこのような物をっ!!　わたしは女人《にょにん》ではありませんっ」

あたりの耳をはばかってヒソヒソと噛《か》みついてきた国経に、業平はけろりと言ってやった。

「それでも懸想《けそう》したのだからしかたがない」

「けっ、けっ」

怒りが喉《のど》に詰まったか、見目の麗しさでは藤原一門きってと定評のある公達《きんだち》殿は、美貌に似合わぬ鶏のような声を洩らし、業平はふたたび笏の陰でほほえんだ。ただしその切れ長な目では、いかにも意味深長に国経を流し見ながらだ。そしてヒソヒソとささやいた。

「なにも取って食らおうというのではないよ。まだそなたの知らぬよきことを教えてやろうというだけだ。知らぬことゆえ恐ろしい気がしておるのだろうが、心配せずとも俺は初花を摘むのは慣れている」

それからさらに声をひそめて、ことさらにねっとりと言ってやった。

「ゆるりといたさば痛うはないものぞ」

国経は怒りと動揺にゼイと喘《あえ》ぎ、

「なっ、なにを！」

と声もひっくり返った叫びを上げかけてあやうく気を取り直した。

「わたしが千寿丸に誘いをかけていると知っての意趣返しでしょうが、その手には乗りませんっ」

「ふふふ」

業平は心楽しく笑って、悠々とうそぶいてみせた。

「なんの。あれはあれ、そなたはそなただ。右手に菖蒲《あやめ》、左手に杜若《かきつばた》という趣向だよ」

「あ、悪趣味なっ」

気色《けしき》も険しくにらみつけてきたのを、笑ってかわすことなどお茶の子さいさいだ。

「いやいや、我ながらよい趣味だと思うぞ」

「おからかいをっ」

「本気だよ。だから、できれば盗み聞く耳のないところで口説きたかったね」

「えっ」

ぎょっとなった顔をすうっと青くした国経は、ここがどこかをまったく忘れていたらしい。

なかなか可愛いと思いながら、業平はわざと大きな声で言った。

「これでは今日のうちにも後宮中に話が広まってしまうだろう」

「こ、困ります！」

「ああ、まったくね。右大臣家を敵にまわしては、俺などは陸奥《むつ》にでも飛ばされるやもしれぬ」

そうため息をついてみせて、

「飛ばされたが最後、一生帰っては来られまいゆえ、今夜はそなたと過ごしたいものだなあ」

と流し目してやった。

「お断わりです！　いいですね、わたしはたしかにお断わりしましたし、絶対に行きませんよ！」

胸に指を突きつけてきながらガミガミとわめいた国経に、業平は澄ました顔で一首詠んだ。

「わが袖は霞《かすみ》の袖か　白玉《しらたま》にな濡れそと　かばう乙女子《おとめご》　しとどに濡れつる」

キャ〜ッ、イヤ〜ッと笑い叫んで逃げていったのは、御簾の向こうの盗み聞き犯たち。

夜露に濡れないようにと、私の袖でかばってあげたのに、どうしたことでしょう。私の袖は露を防ぐことができない幻の袖であったかのように、乙女はしとどに濡れてしまっていますよ……とは、読み明かせばエロエロの猥歌《わいか》である。

国経はグッと息を詰め、

「白玉の露に濡れつる吾《あ》が髪は」

としっぺ返しを詠もうとしたが、頭の中に言葉が沸《わ》き立ち過ぎているのか、その先がまとめられないようす。

「ぬばたまの夜《よ》を恋い渡る　星のかけ橋、とでも？」

すかさず下の句をつけてやった業平に、

「駄作ですね」

と鬼の首を取ったような顔で言ってきたので、

「上の句がよくない」

とやり返した。

「されどいまはおたがい公務中ゆえ、続きは今宵の宴の席でとしようではないか」

「いいでしょう、歌合わせということなら受けて立ちます」

「その言葉、お忘れになるまいぞ、国経殿」

ふふふ……とせいぜい色めかしく笑ってみせれば、国経はうなじまで朱に染め、

「むろんでござりますとも っ、左近将監業平様！」

そう怒鳴りつけるように返してきて、憤然とした足取りで立ち去った。

国経の姿が見えなくなるや、業平はぷっと吹き出し、クックッと笑いながら自分も歩き出した。

「いやはや、あの顔であの気性。まさに幾年後かの誰やらを見るようだが」

いやいや、千寿ならば、あの程度の甘い切り返しでは済ますまい。国経は花よ蝶よと守り育てられてきた苦労知らずで、そのぶん言うことなすことにいまひとつ迫力がないが、千寿ならば……

「どう言うてくるかな。ふむ……試してみるか」

手練《てだ》れの恋狩人として宮中に並びなき浮き名を流している朝臣業平は、人の悪い笑みを浮かべながら、飛香舎をあとにした。

御殿の壺庭《つぼにわ》（内庭）のほうから女たちのにぎやかなさざめきが聞こえているのは、星に供える青竹の枝に短冊をつけ始めているのだろう。短冊の中には、業平への燃える思いの相聞歌《そうもんか》（恋歌）を書きつけた物もあるだろうが、それも遊び、これも遊びだ。

ちなみに業平が国経を「加茂《かも》の河原で会いたい」と誘ったのは、たなばたの夜に男女が河原

で逢《あ》い引《び》きする風習を踏まえてのからかいである。

万葉のいにしえに『歌垣《うたがき》』という名でおこなわれていた、その一夜ばかりは妻ある男も夫ある女も自由の身となり、未婚の者も既婚の者もただの男と女としてその夜かぎりの契りを楽しむ習俗が、いまは七月七日のたなばたの日の、牽牛と織女の逢瀬にあやかるふうに形を変えて楽しまれているのだ。

むろん実際に河原でのはしたない野合《やごう》などに興じるのは、むくつけき下々の者たちだけだが、貴族たちのあいだでも、この年に一度のフリーセックスのチャンスは尊重されていて、身分の低い男が高位の女のもとに忍んで思いを遂げるといったことも、それなりに黙認される。

『それなりに』というのは、事前に送った口説きの歌ないし恋文が、女をその気にさせられれば……ということで、憎からず思う気があることを伝える『返しの文』を得られなかった男が、無理やりの夜這《よば》いに及んだりすれば、腕力には腕力で応じる力ずくでの放り出しを食らうことになるわけだが。

これまでの業平の戦歴は、たなばたの一夜恋も含めて全戦全勝。十四歳で戦列に参加して以来、誘いを断わった経験は数知れないが、拒まれたことは一度もない。

文武にすぐれ容姿も優に十人並み以上だった阿保《あぼ》親王を父とし、当代屈指の美女と謳《うた》われた伊都《いと》内親王を母として生まれた朝臣業平は、雅やかな美貌と煥発《かんぱつ》たる才気と、夷《えびす》なる東男《あずまおのこ》にもひけを取らない勇猛果敢な性格とでひたすら恋に生きた結果、はるか後代にまで『色男』の名をほしいままにするのだ。

たなばたの船遊びが催される神泉苑《しんせんえん》は、大内裏《だいだいり》のすぐ南に位置する、広大な湧水池《ゆうすいち》を中心とした園庭である。築地《ついじ》に囲まれた東西二町、南北四町におよぶ敷地内は、この地に都が開かれる以前の野趣あふれる池辺の風景をそっくりそのままに残し、その中に唐風《から》のきらびやかな正殿『乾臨閣《けんりんかく》』や釣殿など宴遊のための楼閣《ろうかく》が配されて、貴族たちの夏の行楽地になっている。

行幸される帝《みかど》の輦輿《れんよ》が清涼殿《せいりょうでん》を出発したのは、やがて申《さる》の刻になろうというころ（午後三時ごろ）だった。

行幸の列は、騎乗した将にひきいられ露払いを務める前陣の左兵衛《さひょうえ》の武官が二十人、帝が御乗座あそばす輦輿、輿《こし》にしたがう公卿《くぎょう》たち、そして後陣を固める右兵衛《うひょうえ》が続く。

それぞれに威儀をととのえての美々しい道行きは、下級官人や下位の貴族や都の庶民たちにとっては祭り行列ほどの楽しみであって、沿道には見物人の人垣ができる。

この日の帝は、大儀にもちいられる鳳輦《ほうれん》よりも威儀の軽い葱花輦《そうかれん》をお召しになり、そのあとに東宮《とうぐう》（皇太子）がお召しの葱花輦が引き続いた。また右大臣良房《うだいじんよしふさ》や大納言《だいなごん》、参議《さんぎ》小野篁《おののたかむら》などの列のあとには、皇太后をはじめとする後宮の女性たちが牛車《ぎっしゃ》をつらね、おおいに見物人たちの目を引いた。

諸兄《もろえ》は、特に召されて帝の葱花輦につきしたがった。そろいの柿色の狩衣《かりぎぬ》を着た輿丁《よちょう》（輿の担ぎ手）たちに混じった格好の諸兄の姿は、その背の高さと、『極臈《ごくろう》の蔵人《くろうど》』の特権である一人だけ別色の麹塵《きくじん》色の袍《ほう》とが晴れがましく人目を引いていたが、当の本人はこのところずっと頭を悩ませている問題のせいで、なかば気もそぞろだった。

思い悩んでいたのは、千寿《せんじゅ》の処遇のことである。

生涯そばに置きたいかの少年のさきざきによかれと思って、蔵人所《くろうどどころ》の小舎人童《ことねりわらわ》という職を得させたのだが、親のわからぬ孤児だと信じていた千寿が、じつは東宮に匹敵する高貴な血筋を身に宿している少年であることを知って、諸兄は、自分の計らいは裏目に出たと考えていた。千寿の出生の秘密に気づいた業平《なりひら》や、彼が千寿を守るための陣容に組み入れた人々……千寿の育ての恩人である慈円阿闍梨《じえんあじゃり》や、縁あって一味に与《くみ》することになった小野参議や諸兄の父は、千寿の身分は終生秘するべしと衆議一決し、諸兄もまったく同感だった。

帝の代替わりをめぐって激しい戦《いくさ》が起きた時代は過ぎ去っているが、当代でもほんの十年ほど前にあった廃太子《はいたいし》による東宮のすげ替えのような政治的事件は、いつ起こっても不思議ではないのだ。

すなわち東宮や帝に立たれるには、『正統な血筋』が絶対条件であるが、帝の御子がすんなり東宮に決まるというものではない。各代にはたいてい何人もの親王（天皇の息子）がお生まれになっていて、多くは異母兄弟であられる親王方はそれぞれに高貴な血統を誇り、皇位継承権の第一位は第一皇子にあるとはいえ、誰が父なる帝の跡を継ぐかは熾烈《しれつ》な暗闘の種になる。

東宮への立太子《りったいし》は、皇子の後ろ盾についた権門貴族の実力に左右されることが大きく、前の東宮が廃太子となられたのも、いまの東宮を擁立《ようりつ》したかった良房一派による謀略の結果だと……むろん、けっして表沙汰《ざた》にはならぬ水面下の噂《うわさ》としてではあるが……まことしやかにささやかれている。

そして蹴落《けお》とす者がいれば、蹴落とされて苦渋を嘗《な》める者がおり、そうした者たちの前に、いまの東宮よりも皇位継承権の上位を主張できないこともない、というような存在があらわれれば、当然のことに飛びつくだろう。

彼らが権力争いをあきらめてはいないことは、五月に起きた東宮の呪殺《じゅさつ》未遂事件が教えている。千寿が、願ってもない大義名分を与える存在であることを知れば、むろん彼らは千寿を手駒《てごま》として手に入れようとするだろうし、そうはさせまいとする良房一派が、面倒の種は根こそぎにせよと千寿の暗殺に出る可能性も大いにある。

そして実際に千寿は、命を奪われようとしたに違いない襲撃事件に見舞われていた。誰が企んだことかは、いまだに判明しておらず、つまりあれからは何事もないからといって危険が去ったと考えるのは早計だろう。

たとえば現東宮を擁立した重鎮であるという点で、立場的にはもっとも千寿を煙たがるはずの右大臣良房は、諸兄もその一員である藤原北家《ふじわらほっけ》の一門だが、過去の例から見れば、一門が割れての権力争いどころか、兄弟どうしがたがいを討ち滅ぼそうと戦い合ったためしもめずらしくはない。つまり、もしも良房が敵に回ったような場合には、千寿が諸兄の無二の思い人であることや、政治的な野心はけっして持たせないよう計らう旨を訴えたところで、何らかの情状酌量が得られるとは考えにくいのだ。

だから千寿の身の上は、宮中に無用な紛争を巻き起こさないためにも千寿自身のためにも、秘中の秘として秘しておく必要があるのだが……そもそも身元を明かさぬ捨て子という手だてで秘されていたそのことに、業平が感づいたのは、千寿の顔相によるという。

まさに天子という称号にふさわしい英邁《えいまい》さで知られた父と、その麗貌《れいぼう》を神世の美姫《びき》・木花開耶姫《このはなさくやひめ》にたとえられた母とのあいだに生まれ、許されぬ恋の結果の秘中の秘として如意輪寺《によいりんじ》の門前に生死を預けられた愛息は、見る者が見れば（アア、この御子は）と心づかずにはいないほどはっきりと、両親の面影を宿しているのだそうだ。

それはつまり、千寿が宮中に身を置いているかぎり、業平以外にも千寿の身分に感づく人間が出るのは必定《ひつじょう》ということで、諸兄は、千寿の身柄そのものをどこかに秘め隠してしまう必要をひしひしと感じている。

千寿が聡《さと》く有能な小舎人童として周囲の信任を得、使いの行き先が増えるという形で活躍の場を広げることは、裏を返せば、千寿の身の上に気づく人間と出会う可能性が増すということで、思えば危険極まりない状況だ。

しかし、その状況を打破するには、大いなる決断を経なければならない事情が、諸兄にはできていた。『極臈の蔵人』という身分を賜《たまわ》ってしまっていることが、それである。

諸兄としては、そうした身分そのものは、いつでも捨てられる気持ちでいた。父の大納言は「これでおまえも出世への端緒をつかんだぞ」と狂喜乱舞したし、母も「鼻が高い」と褒《ほ》めてくだされたが、諸兄はもともと出世欲も権勢欲も薄い。むしろ（思いがけず、たいそう困ったことになった）と、ひそかにため息をついたものだ。

千寿の身の安全のためには、地方への任官を願い出て蔵人のお役を降り、京から遠く離れた鄙《ひな》の地に二人で身をひそめてしまうのがよいと思い決めた矢先の、『極臈』任命だったのである。

だからすぐにも御宣下《ごせんげ》は返上し申し上げ、併せて蔵人職も辞任するはずだったのだが……いまだに果たせていないのは、帝があれ以来お寄せくだされている自分への信頼感を、振り捨てる決心がつけられないでいるせいだ。

御年三十九歳になられる帝は、お若いころからお体が弱く、気もお強い方ではないので、権勢欲たくましい貴族たちの手綱をさばくお立場の心労は、時に耐えがたいものであるらしい。まして、そうした権力争いがわが子に降りかかった、先の東宮呪殺未遂事件は、帝にとっては心身ともに強い衝撃を与えるものだった。

諸兄にとっては負傷を隠しての苦しい宿直近侍《とのいきんじ》となったあの三日間に、帝は「このような世にあって、朕《ちん》は誰の心を信じればよいのか」と何度お嘆きになったことか。

朝に夕に、ため息とともに帝のお口からこぼれていたそれが、

「このような世ではあるが、諸兄だけは信じられる」

というお言葉に変わったのは、業平殿が帝に、諸兄の三晩の宿直が負傷を押してのことだったと言上《ごんじょう》してからだった。

そのお胸の裡《うち》を、帝は、諸兄に『極臈の蔵人』という身分を賜ることでお示しになったのだが、その信頼のしかたというのは、まるでこの世には諸兄以外の味方はいないと信じ込まれているようなごようすで、ありがたい以上に困惑が先立つ。また、こうした極端なご寵愛《ちょうあい》は、宮中に無用な波風を立てることになりはしないかと危惧《きぐ》もしているのだが……それゆえに、いまはおそばを離れられぬとも思う。

帝が諸兄にお向けになっているご信頼は、ただ単に信じて頼るといったものではなく、溺《おぼ》れる者は藁《わら》をもつかむというような、闇雲《やみくも》に取りすがらざるを得ないお心持ちの危うさを感じさせるからだ。

おそらく帝は、あの事件の心労でいたくご心気がお弱りあそばされておわすのだろう。そのせいで、たかが六位の蔵人に過ぎない自分を、唯一無二の側近のようにあつかわれることの不自然さも自覚なされないでおわすのだ。

目のすみに輿の垂れ布が動いたのを見取って、諸兄はうやうやしく輿に目を向けた。

轅《ながえ》を輿丁《よちょう》たちの肩に担がれていく葱花輦の御座は、諸兄の肩の高さにあって、拝顔するには

仰向かなくてはならないが、むろん玉顔《ぎょくがん》をじかに拝するような非礼はできない。合図に気づいたしるしにそちらに顔は向けても、目は伏せている。

「諸兄よ」

と玉声がかかり、「ははっ」と諸兄は頭を下げた。

「東宮の輿はもう出たか」

先ほど西雅院《さいがいん》からお出ましのご一行が、帝の輿のあとにつかれたのは見ていたが、確認のために一度振り返ってからお答えした。

「主上《おかみ》のすぐ後ろをおいででございます」

「東宮のようすはわかるか？」

「ご尊顔は拝せませぬが、楽しげなごようすであられますように拝察いたしまする」

「そうか。供奉《ぐぶ》には特に業平を貸しまいらせたが、おるか？」

「はい。御輿の左衛にしたがっております」

「あれは輿に酔うゆえ、気をつけてやってくれるよう、春宮大夫《とうぐうたいふ》に申してあったが」

もう子どもではない、御歳二十二にあられる東宮を、帝はそんなふうに気遣われ、諸兄はおくびにも出せないため息を嚙み殺してお答えした。

「輿丁たちはことさらにしずしずと足を進めておりまする。水を張りました鉢が東宮様のお手元にござりましても、一滴たりともこぼれることはございませぬでしょう」

「そうか、なればよい。いまここはどこか」

「もうやがて朱雀門《すざくもん》にさしかかりまする」

「そうか……東宮は変わりなくまいっておるな？」

諸兄は（やれやれ）と思いつつ、もう一度振り返り、目にしたことをお答えした。

「ただいま垂れが少しばかり風に煽《あお》られまして、ご尊顔を拝見いたしましたところ、業平殿とお話しなされているごようすにて、にこやかに笑まれておいでてございました」

「そうか」

帝はうれしそうなお声でおっしゃり、

「そうか」

とくり返されて、ほっとため息をお聞かせになった。

「あれも病は本復したものの、ずっと心楽しまぬままでおったが、そうか、笑うているか。業平は楽しき話し相手ゆえ、あれも気が晴れるであろう。輿は静かに進んでおるのであろうな」

「はい。東宮様には揺れもお感じにならずにお進みのことと拝察申し上げます」

「それならよい」

だが、朱雀門を出て二条大路《にじょうおおじ》を進み始めたところで、また似たようなご下問があり、神泉苑の北の正門を入ったところで、またまた同じような問答をくり返した。

諸兄が千寿のためにお役を降りる決心をつけられないでいたのは、一にも二にも、帝のこうした常にはあらぬとしか言いようのないご心配癖が、気がかりだったせいである。

もしもいま自分が『一身上の都合により』辞任したならば、帝のお心持ちはどのようなことになるか……あるいは諸兄に裏切られたとお感じになり、狂乱されるようなことにもなりかねないのではないか……それが恐ろしくて、とても言い出せないのだ。

ご在位あらせられて十六年におなりの帝は、それなりの波風を乗り越えて来られたお方で、やや蒲柳《ほりゅう》のたち（虚弱体質）ではあられるが、ご聡明さは疑うべくもない。また風雅を愛するお気持ちが深くあられるぶん、お心細やかな主上であられて、畏れ多いことながら諸兄は、父に対するよりずっと強い敬慕の念を持ってお仕えしてきた。

それがあの事件以来、おやさしいお心の脆《もろ》さばかりが前面に出てきてしまわれているようで、業平殿などははっきりと「気鬱の病だ」と言ってのけるあれが快復するまでは、おそばにいなければいけないと思う。

願わくば、それまで千寿に何事も起きぬよう……と思えば、こんどはそちらのほうが心配になって、何をかなぐり捨ててでも、いますぐ京《みやこ》を離れるべきだという気分になるのだが。

しかし、それももう遅いのかもしれなかった。諸兄が迷っていたあいだに、事態は思いがけない進展を見せて、千寿は今日の船遊びで舞いを披露することになっている。秘め隠しておきたい掌中《しょうちゅう》の珠は、諸兄の意に反してますますその輝きをあらわにするばかりなのだ。

……業平殿が言うように、すでに千寿を見知る者が少なくない現状では、むしろ誰知らぬ者はないまでに目立たせてしまったほうが、かえって千寿は安全に過ごせるという考え方もあり、それはそれでたしかに一理ある意見なのだが……

これまでのところ手遅れと後悔しか生んでいない気がする、おのれの優柔不断さへの忸怩《じくじ》たる思いに責められつつ、諸兄はこの数日『出家』という言葉を考え続けている。

千寿を守るのに必要な身の自由を手に入れるには、もはやその方法しかないのではないだろうか、と。

（だがいまだ決心には至れない俺は、なんと情けない男であることか）

諸兄が腹の中でため息をついたところで、帝の輿は神泉苑の正殿『乾臨閣』の階《きざはし》前に着いた。

轅を担ぐ十二人の輿丁たちが、御座を傾けないようしずしずと輿を階の上に運ぶ。前の轅を簀子《すのこ》（縁先）に置くところまで担ぎ上げるのだが、輿丁たちはあくまでも轅を肩の上に担っていなければならないので、前の轅に着いた者たちは階に腹這《はらば》う格好で重い輿を支えることになる。後の轅を担ぐ役より名誉であるぶん、乗り降りの場面ではたいそう苦しい思いを辛抱しなければならない。

階の上では尚侍《ないしのかみ》（帝近侍の女官《にょかん》の長）二人が帝をお待ち申し上げていたが、帝が御座をお降りになられて輿が階を離れるとすぐに、年若なほうの藤中納言《とうちゅうなごん》が、階の下にひかえていた諸兄に「上がってきて主上のおそばにひかえるように」という御命を伝えてきた。

「ただいまうかがいます」

とお答えして脇階段にまわろうとしたが、「そこからでよいとの仰《おお》せじゃ」とのこと。

僭越《せんえつ》さに身が縮む思いをしながら、東宮の葱花輦が轅をつけようと待っている階の端から殿上に登り、藤中納言の手招きに従って、御覧の座につかれた帝の右後ろに座を占めた。

「うむ、東宮も顔色はよいな」

とのお言葉がかかり、

「御意《ぎょい》」

とご返答申し上げたところ、

「今日は遊びせむとの行幸である。その堅苦しさ、少しなりとやわらげてくれぬか」

とのお言葉をいただいて、尚侍たちにもクスクスと笑われてしまった。

「御意に添いますよう努めまする」

「そうしてくれ」

「主上には、お暑うはございりませぬか？」

尚侍の伊大納言がお気遣い申し上げた。

「いや、ここは涼しい。おう、東宮、ささ座られよ」

輿から降りて来られた東宮・道康《みちやす》殿下は、帝のご心配をまったくの杞憂《きゆう》とする溌剌《はつらつ》としたごようすで、父君の右前にしつらえられた座におつきになり、その向かいの座には御年六十四歳になられる祖母君・橘嘉智子皇太后《たちばなのかちここうたいごう》がおつきになった。道康殿下の母君である藤原順子《じゅんし》様は女御《にょうご》の位であられるので、ご一緒の座にはおつきにならない。

ちなみに帝の后妃には『皇后《こうごう》』『妃《ひ》』『夫人《ぶにん》』『女御』『更衣《こうい》』の順があり、代によって皇后や妃は立位しない場合もあった。皇后には政治的な権限があるが、妃以下にはない。

御一同がそれぞれの座に落ち着かれるようすをそれとなく見守りながらも、諸兄の注意の半分は御殿の外に向いていた。

階の左右に五色の短冊を飾った竹を立てた正殿の軒の向こうには、まだ夏の暑さを残した初秋の空が青く明るく晴れ渡り、その下に広がる池辺の風景はいとも涼やかである。

三十人ほどが乗れる大船が悠々と漕ぎまわれるほど広い水面の、はるか向こうに見えるこんもりと小高い小山は、青葉美しい木立に覆われ、そのふもとは水辺まで続く葦《あし》の原だ。

手前に目を移せば、正殿前の汀《みぎわ》には、水上になかば張り出して朱塗り高欄の舞い舞台が設けられ、その左右に作られた楽士たちの席を取り囲んで、金色の日月星を煌《きら》めかせる六条ずつの五色の幟《のぼり》がへんぽんとひるがえっている。火炎と日形で装飾された二基の巨大な大太鼓《だだいこ》の金箔が、幟が落とす影の揺らぎにキラリキラリと金光をはじく。

幟の後ろの幔幕《まんまく》囲いは左右それぞれの楽屋で、諸兄の視線は、舞い支度を調《ととの》えた千寿がいるはずの左方の楽屋にたびたび舞い戻ったが、幕はきちりと閉じられていて、中のようすをうかがい見ることはできなかった。

舞い舞台を中に置いて、両の腕のように伸びている白木の桟橋の左方には、舳先《へさき》に龍頭《りゅうとう》をつけた大船が、右方には凰頭《おうとう》をつけた大船が繋《つな》がれていて、千寿たちが乗るのは凰頭船のほう。すでに船上での管弦をおこなう楽士たちが座乗している。

帝の御座所より一段低い廂《ひさし》の間の左方に、右大臣をはじめとする公卿方が、御簾《みす》をなかば降ろした右方には女御方をはじめとする女官たちが座し終え、それぞれの前に召し物を盛った高杯《たかつき》や酒の用意も配られ終わると、左方の龍笛《りゅうてき》が演奏を始め、『振鉾《ふりぼこ》』が始まった。厭舞《えんぶ》とも呼ぶ、舞楽を始める前に舞台を祓《はら》い清めるための舞いだ。

千寿もついいましがた駆け込んできたばかりの左方の楽屋に、風を巻くような勢いで業平様が飛び込んでおいでになったのは、帝の輿が到着されたという声が聞こえてからほどなくのことだった。

「あーもー、せわしないことだっ。光正《みつまさ》はおるか！」

「ははっ」

先に来ていた小舎人の光正様が駆け寄って、束帯《そくたい》をお脱がせした。大口《おおぐち》（下袴《したばかま》）と帷子《かたびら》だけになられた業平様に、こんどは雅楽《ががく》寮《りょう》の者たちが手慣れたすばやさで舞いの衣裳を着つけていく。

「おう、来ていたか」

業平様が千寿を見つけて話しかけてこられた。

「まだ化粧もできていないな。来たばかりか?」

「はい。前のご用にいささか手間取りまして」

「間に合ってはおるさ。そなたらの出番は最後だ。退屈したなら昼寝でもしておけ」

着つけられていく衣裳は、鹿革底の糸鞋《しがい》と呼ぶ編み沓《ぐつ》に、唐《から》織の指貫《さしぬき》(袴)、紅色顕紋紗《けんもんしゃ》の筒袖《つつそで》の袍。唐織に龍紋を縫取りした裲襠《りょうとう》は中国の武人が鎧《よろい》下に着込む貫頭衣で、手にすればずしりと重い。裲襠の腰に銅製透かし彫りの当帯《あておび》をきりりと締めて、着つけは済んだ。

楽屋司《がくやつかさ》の多止鳥《おおのとり》様が『陵王《りょうおう》』の面を差し出されたが、業平様は、

「いや、面はつけぬ」

とお断わりになった。

「女御たちのたっての願いで、そうした話になった。光正、緌《おいかけ》を」

腰掛けにおかけになった舞い衣裳に冠姿の業平様に、光正様が武官の正装具である頰《ほお》飾りをおつけして、舞い支度は完成したらしい。

それを待っていたように『振鉾』の舞い手を呼び出す奏楽が聞こえてきて、いよいよ舞楽会の始まりだ。

「光正、水をくれ」

業平様がおっしゃったが、光正様は幕屋の向こう側にいてお声に気がつかれなかったので、

千寿が汲んで差し上げた。

「おう、すまぬな」

「いえ」

椀をお渡ししようとした手を、業平様がすりりとおなでになり、千寿はカッと赤くなった。

諸兄様には一生言えぬ一夜を、この方と経験してしまって以来、何でもないような接触でもつ
いうろたえてしまう。ましてやこうした意味ありげな触れ方をされると……

「この傷はどうしたのだ？」

と問われて、

「え？」

と手の甲を見やった。

「あ、これは笹の葉で切りました」

「また何かやんちゃをしたのかな？」

「いえ、今朝、菜園で通りがかりに」

「そうか」

業平様は安堵《あんど》したというふうにうなずかれ、椀の水を飲み干しておっしゃった。

「もう一杯たのむ」

「はい」

やがて止鳥様から出番との声がかかり、業平様はすっくとお立ちになられた。美貌をきりりと引き締められたごようすは、つねの優男《やさおとこ》ぶりとは打って変わった武人の凜々《りり》しさで、千寿は思わず胸がときめくのを覚えた。

「行ってくる」

「ご存分に佳《よ》き舞いなされますように」

「うむ」

舞い手を呼び出す小乱声《こらんじょう》の奏楽が始まり、止鳥様がさっと幔幕を引き開けた。

颯爽《さっそう》とお出ましになる業平様をお見送りしながら、千寿は（見たい）と思った。あのお方が『陵王』をどんなふうに舞われるのか、拝見したいものだ。

だが止鳥様は、業平様と入れ替わりに戻ってきた『振鉾』の舞い手を迎え入れると、ぴたりと幔幕を閉めてしまわれ、千寿には自分の舞い支度がある。

（いつかは拝見したいものじゃ）

とため息をつきつつ、化粧の道具が置いてある台のところへ行った。

猒舞が済むと、まずは正殿前の汀の舞台での左方一人舞い『陵王』、右方おなじく『納曾利《なそり》』が舞われたが、どちらの舞いも、女官方が鵜《う》のごとく鶴《つる》のごとくに首を伸ばして見入っていたのは、『陵王』を舞ったのは朝臣《あそん》業平、そして『納曾利』の舞い手は藤原国経《ふじわらのくにつね》だったからだ。

しかもどちらも、定めの雅楽面はかぶらぬままの素顔である。

「ああっ、別装束をお召しになられた将監《しょうげん》様の、なんと凜々しくていらっしゃること」

「面をおつけにならない軽々しさがどうかと思いましたが、今日の催しにはむしろふさわしゅう見えますわね」

「北斉《ほくせい》の蘭陵王長恭《らりょうおうちょうきょう》は美男に過ぎて、敵に睨《にら》みが利かぬばかりか、配下の兵らが王の美貌に気を取られて戦に励めぬ始末ゆえ、戦場におもむく時にはあの恐ろしき面を常用されたとのことですが、まさにその伝説の美王を見るような」

中国の武人装束をかたどった華麗な朱《あけ》の衣裳に身を包み、壱越調《いちこつちょう》（D音を基音とする調子）・早拍子の曲に乗って軽快かつ勇壮に舞い踊る業平殿の姿は、諸兄の目から見ても美しかった。

「まったく、どこまでもいやな男でありますのう、在五《ざいご》（在原《ありわら》家の五男坊の意）将監殿は」

女官席まで聞こえよとばかりに言ったのは、蔵人頭《くろうどのとう》の右少将《うしょうしょう》・良峯朝臣宗貞《よしみねあそんむねさだ》様の笑い声で、言った相手は、先の蔵人頭でいまは左中将《さちゅうじょう》参議の藤原良相《よしみ》様。

「そう申せば、五月の節会《せちえ》の騎射《うまゆみ》や競馬《きそいうま》も、業平殿の独壇場でありましたな」

答えた良相様は右大臣の弟である。

「いままでさえ浮き名の派手さは宮中一というに、なおも女性《にょしょう》方を血迷わせようとは、なんとも欲深い男です。いくらモテても身は一つだというに」

という宗貞様の述懐に、周りの何人かがププッと吹き出し、

「いやいや、その『身一つ』を持て余すゆえの色好みでありましょう」

との良相様の返しに、一同はドッと笑い声を上げた。

「さて答舞《とうぶ》は……ほほう、受けて立ったは国経殿ですか。こりゃ左方右方の美男対決ですな。天の川のほとりの乙女が気を迷わせねばよろしいが」

「いや、宗貞殿、あれなるは乙女ではのうて人妻ですよ」

「そうでありました。むむ、そうと申せば方々、北の方の袴の緒はしっかと結んで来られましたかな？」

「それを申されるなら宗貞殿こそいかがです」

「まあまあ方々、舞いを見ましょう」

「ははは、うまくごまかしましたね」

「国経殿は当年十八であられましたな」

「うむ、なかなかの舞いぶり、見事見事」

「龍の面はつけずとも、龍王の気品がありますなあ」

国経は右大臣良房のお気に入りの甥御《おいご》である。公卿方は口々に褒めそやしたが、諸兄はひそかに（業平殿のほうが上だな）と思っていた。動きの切れが違う。

その腹の中を代弁するかのように、

「まあ、あの歳であれだけ舞えれば見事というものでしょう」

と堂々口にしたお方がいる。小野篁参議だ。

公卿方は一瞬ザワと顔を見合わせ、篁様が言葉を継がれた。

「あの『納曾利』の二人舞いは合わせのむずかしい難曲ですが、あの二方なれば、見ごたえのある双龍を披露されるのではありますまいかのう、右大臣」

水を向けられた良房様は、ぴくりとこめかみをふるわせたが、にこやかに言われた。

「なるほど、面白い趣向と存じますな」

おやおや……と諸兄は思った。

(業平殿、次の舞楽会《ぶがくえ》では、おぬしと国経とで『納曾利』の二人舞いをやることに決まってしまいそうだぞ)

しかし今日の舞いの出来を見るかぎりでは、国経の分が悪い。よほど腕を上げないかぎり、おなじ舞台に立てば国経のほうが見劣りするだろう。

千寿にしつこくちょっかいを出している国経が、そうした形で業平殿にへこまされるのを見るのは痛快ではあろうが、

(かといって右大臣ご寵愛の甥御に恥をかかせるわけには行かぬし……どうする、業平殿)

『納曾利』を舞い終えた国経が右楽屋に引き下がったところで、主上から「舞い手二人に禄《ろく》を授ける」とのお言葉がくだり、業平と国経が左右の楽屋から召し出されて、階の下にかしこま

った。

　主上はたいそう雅楽がお好きで、唐や高麗から新曲を取り入れたり、雅楽寮に命じて奏楽のみだった曲に新たに舞いをつけさせたりもされている。目も耳も肥えておいでなので、どのような批評を仰せられるかと、みな耳を立てる中……

「『陵王』は、蘭陵王長恭の淋漓《りんり》たる勇猛心をよくあらわし、華麗なる猛将の生まれ変わった姿を見るかのようであった」

　という、まるで手放しのお褒めがあり、お言葉が続いた。

「大軍を率いて戦《いくさ》する世に生まれたかったか？　業平」

　思いがけない揶揄《やゆ》に人々が顔を見合わせ、業平の涼やかな声が答えた。

「おそれながら申し上げます。北斉の将・蘭陵王の敵は北周でありましたが、わが敵は、かしこみて北面いたしまする（臣下として仕える）小官の袖を『来たれ来たれ』とお引き遊ばす、北殿（後宮）の果敢なるつわもの方にて、いまも日夜に苦戦奮闘いたしております」

　公卿方からドッと笑い声が噴き上がり、主上も東宮もお笑いになった。お年を召された皇太后様やお付きの女官たちも、かざした扇の陰で吹き出している。

「ふむ、その戦には『大軍率いて』とはまいらぬの」

「御意。孤軍ならではの手柄を立て続けますのが、この業平の生涯の念願でございますれば、別の世に住まわせてやろうとのお心遣いは、つつしみましてご辞退申し上げます」

「ハハハハ。ではその心を歌に詠《よ》んでみよ」

という主上の仰せ渡しに、業平は二呼吸ほどの間を置いて、詠んだ。

「天《あま》の原に降るほど星はありつるを　一年《ひととせ》の一夜《ひとよ》を待たる牛飼いは　憂《う》しに慣れたるつわものとぞ思う」

たなばたに引っかけての、『世の中に美人はあまたいるものを、一年に一夜しか会えない妻一筋に過ごす牽牛《けんぎゅう》の辛抱強さは、とても自分には真似できません』との即興に、主上はカラカラとお笑いになっておっしゃった。

「誰ぞ、返しを詠まぬか」

公卿方はウ～ムと考え込まれ、諸兄が（これは出ぬな）と思った矢先、控え目に許しを願う女の小声が聞こえて、皇太后様が仰せられた。

「詠ませてもよろしいでしょうか」

「おう、小町《こまち》が返しをいたすか？　詠んでみよ、詠んでみよ」

応えて、まだ若い女の細い声が楚々《そそ》と詠《うた》ったのは……

「天の原をきらめき渡る星の名は　平らけく業《わざ》や成るかと祈る占星《うらぼし》」

「うむ、よう詠んだ」

と主上はうなずかれ、諸兄も（よくできた）と思ったが、公卿方の評は二つに割れた。

「そこは『業や成るか』より『恋や成るか』でありましょう」

という一派と、

「いや、『平らけく業や成るか』で業平殿の名と掛けてあるのですから、『恋』と変えてはつまりません」

と主張する一派だ。

「ままま方々、まだ『納曾利』の評をうかがっておりませぬし、舞いのほうもこれから二番三番と続きます。この話は宴の肴《さかな》としましょう」

右大臣様がそう場をお収めになり、主上も受けて話をお進めになったが、右大臣の差し出口にいささかご機嫌を損じておられたのか、国経への評はかなり辛口なものだった。

「『納曾利』については、足の運び手の動きにはしかと修練の跡が見受けられたが、腰の踏まえはいまだ盤石《ばんじゃく》には足りず、目の配りもいま少し迫力に欠けていた。むろん舞い手の年若きを思えば至らずとも詮方《せんかた》ないが、次の機会までの精進を期待したい」

そしてつけ加えて、

「重陽節《ちょうようのせつ》の宴に、その方ら両名による双龍の舞いを見たいが、いかがか」

とは、むろん「いかがか」というご下問の形であっても「否」のご返答はあり得ない御命である。

「ありがたく仰せつかまつります」

業平が答え、国経も、

「心して精進いたしまする」

とお受けした。

賜った禄は、業平が朽《く》ち葉《ば》色の紗《しゃ》の袍、国経が青朽ち葉色の紗の袍。いずれも走舞《はしりまい》に用いる衣裳で、二人は舞い手としての面目をほどこしたというわけだ。

二番舞には、雅楽寮の舞人たちによる左方『賀殿《かてん》』、右方の答舞『地久《ちきゅう》』が舞われ、中曲と準大曲の取り合わせという長々しい番組に、諸兄はいささかならず退屈した。装束を改めて昇殿してきた業平が、主上に召されて近侍の座にくわわり、少しばかり雑談もできたおかげで、居眠りせずに済んだようなものだった。

ところで、楽屋で出番を待っている千寿のほうはというと……諸兄様が眠気相手に苦戦をされていたころ、千寿は千寿で、連れ舞う相手である東寺《とうじ》の三人の稚児《ちご》たちの、険悪な仲間割れに巻き込まれていた。

発端は、鶴若《つるわか》という少年が千寿にからんだことだ。

童舞《わらわまい》『迦陵頻《かりょうびん》』の舞い手として、東寺からは千寿とおなじ十四歳の鶴若と亀若《かめわか》、そして十五歳の蔦若《つたわか》が差し向けられてきていて、千寿とともに雅楽寮での稽古《けいこ》を積んできたのだが、鶴若と千寿は顔を合わせた最初から折り合いが悪かった。鶴若はやたらと千寿を敵視してきたし、千寿のほうも、『東寺一』だと自称する美貌を鼻にかけているような鶴若に、好感を持ついわれはなかったからだ。

ことに、鶴若が自分より年長の蔦若に対して、まるで御曹司《おんぞうし》が家人《けにん》に言うような口ききをするのは聞き苦しく、千寿は耳にするたびに遠慮なく顔をしかめてやっていた。

もっともたがいに立場は心得ていたから、稽古中には口喧嘩《げんか》をしたこともなかったのだが、本番の今日になって鶴若がやたらとからんできたのだ。

千寿が、稽古の時にはしたことがなかった化粧を終えたとたんだった。

「やあやあ、どちらの姫君かと驚いたが、よく見ればどこぞの田舎寺の千寿丸とやらではないか」

というイヤミから始まって、

「のう亀、われらが舞いがお目に留まって、いまをときめく右大臣様にでもお声をいただけたら、きっと天にも昇る心地がするじゃろうが」

「鶴若殿はきっとお目に留まると思います。だって本物の迦陵頻伽みたいに美しいですもん」

「したが内裏《だいり》に入り込んでいる尻軽ギツネが、もしも右大臣様をたぶらかしてしもうておるなら、お声掛かりもなかろうなあ」

「亀は卑しい野狐などと寵を張り合うよりは、ご褒美《ほうび》のほうがよいです」

「そうじゃな、褒美というのもよいな。毛並みの悪い野狐などとおなじ屋敷にお仕えするよりは、ずんとマシじゃな」

などなど、亀若を相方にしての千寿へのあてこすりをさんざんに聞かせた末に、紅地精巧紗《せいごしゃ》に迦陵頻伽の舞い遊ぶ姿を刺繍《ししゅう》した定めの袍に、五色に彩った翼飾りをまとい、花のかざしをつけた金色の天冠をかぶって支度を終えた千寿を、

「おい、化粧化けの淫乱《いんらん》ギツネ、楽屋が臭いぞ、出よ出よ」

と乱暴に突き飛ばした。天冠に挿したかざしの花が飛ぶほどの力でだ。

「なっ！」

相手にしないつもりでいた千寿も、これにはさすがにムッと気色《けしき》ばんだが、

「何をする！」

と鶴若を怒鳴りつけたのは、それまで一人黙々と舞いの手を復習《さら》っていた蔦若だった。

「本舞台はもうすぐじゃというのに、いいかげんになされ！」

「はんっ！」

鶴若はそっくり返り、鼻の先でせせら笑った。

「いったい誰にものを言うているつもりじゃ？」

たぶんいつもはそれで蔦若のほうが引くのだろう。ところが蔦若は、気弱に目を逸《そ》らしそうになった自分を踏みとどまらせ、真っ向から鶴若を睨みつけて言い放った。

「鶴若殿、ここには御身を甘やかす正厳《しょうごん》様はおわされぬ。東寺の者として恥ずかしいふるまいをなさるな！」

「な、なんじゃとお!?　おまえのような者がわしに指図をするのか！」

「指図ではのうて叱っておるのじゃ！　それもわからぬほど愚かであるなら、二度と東寺一の稚児じゃなどと誇らぬことじゃ、お寺の名折れじゃ！」

「い、言うたなあ！　親にくびり殺されそこのうた死にぞこないが！」

わめき合う二人は、顔ばかりか目の白目にまで真っ赤に血を上らせ、いまにもつかみ合いを始めそうだ。

「お止《と》めくだされ！」

と千寿が叫んだのは、装束方を務めてくれた東寺の伶人《れいじん》（楽士）たちが、何人もそばにいたからだったが、男たちはフンという顔で取り合わなかった。それどころか二人のいさかいを面白がっているようすだ。

しかも（ええい、頼まぬ！）と思い決めて、

「鶴若殿、蔦若殿、お鎮まりをっ」

と二人のあいだに割り込もうとした千寿のほうを止めてきた。

「関わるな関わるな」

「やらせておけ」

「なれどっ！」

「じき収まる」

「捨てておくのが一番じゃ」

「どちらも晴れの舞台を台なしにするほど分別がないわけではないわ」

つまり、こうしたいさかいはめずらしくもないらしいが、いまから心静かに舞おうという時に、頭から湯気が立つほどの喧嘩をしている二人を、止めないでよいはずはないだろう。

「千寿丸、これ千寿丸」

左楽屋の司を務める雅楽寮の止鳥《ととり》様が苦笑しながら手招いて来られたので、二人のようすにはらはらしつつも「はい」とおそばへうかがった。

「東寺の稚児どもはいつもああいったふうゆえ、気にすな」

と止鳥様はささやかれた。

「けれど、あのようなことで連れ舞いなど舞えるのでしょうか?」

ヒソヒソと聞き返してみた千寿に、尖《とが》った顎《あご》にごま塩のヤギひげを生やした老舞人は、くすんと鼻をすすっておっしゃった。

「うむ、そこはなんとかいたしおる。しくじるならば損をするのは自分じゃと、よく心得ておるでな。じゃからああして騒いでおっても、楽屋の外まで聞こえるような大声は上げぬじゃろう?」

「はあ……」

「そなたのおった寺では、稚児同士のいさかいはなかったのか?」

「なかったわけではござりませぬが……あそこまでは」

「東寺には三十人からの稚児が召し抱えられておるが、十五を過ぎると召し放される。それまでに何らかの取り立て口を得ておらぬ者は、寺を出されたあとは身を売ってでも暮らすしかない。ゆえにみな必死で高位の僧方の寵を争い、たがいに蹴落とし合ってでも先の道をつかもうとする。顔だち美しい者はそれを武器に、得意の才ある者はそれを道具にしてなあ、なんとか取り立てを得ようとしのぎを削り合うんじゃわ」

「はあ……如意輪寺ではそのようなことはありませなんだ。わしのような身寄りのない稚児は、童形を捨てる時は墨染の衣を着る時であって、以後は僧として寺に身を置くことになりますゆえ」

「朝廷の覚えめでたい都鎮護《ちんご》の大寺と、どこぞの山寺を一緒にすなっ！」

鶴若がガミガミと言ってきて、喧嘩は終わっていたのに気がついた。

「ついでに申しておくが、われらが舞いの足を引っ張るなよ、山猿っ。二﨟《にろう》（舞いの二番手）は譲らされたが、山寺流の泥臭い舞いにつき合う気などないからの！」

その後ろで蔦若が小指で耳をほじりながら言った。

「いつまでもうるさいことだ。千寿丸殿が二﨟に選ばれたのは、わたしと釣り合うて舞えると認められたからじゃ。舞いで負けたうえに自慢の顔まで負けたそなたは気が治まるまいが、やがて出番ぞ」

鶴若が立てたギリギリッという歯ぎしりの音は千寿にまで聞こえたが、その朱唇は悪罵《あくば》を返すことはなく黙り込み……ふと見れば鶴若は、かっと見開いたままの両目からあふれ出ようとする涙を、必死にこらえているのだった。

その涙を千寿に見られたと知って、キッと睨みながら咬《か》みつくように言ってきた。

「あのような立派なお方を後ろ盾に得ているおまえには、われらの気持ちなどわかろうはずもない。じゃが、おまえがしくじれば、われらも一蓮托生《いちれんたくしょう》の憂き目に遭うのじゃということぐらいは胸に刻んでおけ！　もしもそうしたことになったら、一生おまえを恨むぞ！」

「精いっぱいに務めまする」

誓う思いで千寿は言った。

国経様から、「右大臣の目に留まれば」ウンヌンと言われた時には、ならば目をつけられたりせぬように真剣になど舞わずにおこうと思ったものだが、ほかの三人にとっては将来が懸かるかもしれない舞台であるというのなら、それこそ足を引っ張るような真似はできない。

だが山猿の何のという悪罵には腹が立っていたから、

「天にも地にもこれ以上はなきまでに息の合うた一臈二臈を舞うてみせまするゆえ、三臈四臈は後《おく》れを取りたもうな」

と言ってやったら、

「あたりまえじゃっ」

と鶴若は食いしばった歯を剝《む》いてみせた。

二番舞の舞人たちが絹一匹ずつの禄をふるまわれ、楽屋に引き下がっていくのを見送りながら、諸兄は（次はいよいよ千寿の出番だ）と思って、武者ぶるいに似た心地を覚えた。

「おぬしが緊張することはない」

と業平殿からささやかれて、

「緊張などしておらぬ」

とささやき返した。

「船に移ろうぞ」

という帝の仰せに、公卿方が子どものように目を輝かせた。

帝と東宮、公卿たちは龍頭の大船に乗り込み、諸兄は召されて同乗したが、業平殿は桟橋《さんばし》に残った。国経もだ。

「俺ばかり特別のことですまぬな」

と頭をかいてささやいた諸兄に、業平殿は「なあに」とささやき返してきた。

「皇太后は船乗りは遠慮なさるようだが、女御方や女官たちは小舟に乗り込む。慣れぬ舟への乗り込みには、助けてやる男の手がいる。つまり、こちらにはこちらの楽しみがあるのさ」

「……流刑《るけい》などにならぬ程度に楽しめよ？」

「女御が俺に抱きついてきて、俺が細腰をしっかとお抱き申しても、舟が揺れたせいならば誰もとがめはせぬさ」

「間違っても、わざと舟を揺らしたりはするなよっ」

「俺にも分別はある」

業平殿は自信たっぷりに請け合った。

「わざとだと悟られるようなヘマはせぬよ」

「な、業平殿っ」

「そら、主上がお待ちだぞ、行った行った」

「〰〰〰〰っ」

やがて綺羅星《きらぼし》のごとき貴顕方を乗せまいらせた龍頭船は、大池の中ほどへと漕《こ》ぎ出し、乗り込んだ人々は水上の涼しさをしばし堪能された。

もっとも諸兄は、ここでも御座のかたわらに席をいただいたので、せっかくの涼風にもくつろぐどころではなかったが。

「方々見られよ、極楽からの賓客たちが舞い降りましたぞ」

という大声に、みないっせいに岸を振り返った。左方の楽屋を出た四人の迦陵《かりよう》頻伽《びんが》たちが、桟橋を船のほうへと渡っていくのだった。四人ともおなじ装束で背格好も似ているが、諸兄は一目で列の二番手が千寿であると見分け、(やはり千寿が一番美しいな)と悦に入った。

先頭を来た少年は、桟橋と船とを掛けつないでいる渡り板を危なげなく渡って船に乗り込んだが、千寿は、渡り板に足をかけたところでためらい、後ろを振り向いた。

見れば、しんがりの少年が板渡りを怖がって尻込みしているふうだ。

「おやおや、極楽の霊鳥がべそをかいていますよ」

誰かが言って、みんなが笑い、その声はあちらの船にも聞こえたようだった。

千寿が（こうして板を押さえているから）というようなしぐさで渡り板の端を踏み押さえ、べそかき迦陵頻伽は三番手の少年に手を引かれて渡り板を歩き出した。

二人が無事に乗り込んで、千寿もあとに続こうとした時だった。

「おやや、渡り板が落ちましたね」

「あれあれ、船頭のしくじりでしょうかな」

「四羽目は船に乗りそこないましたよ。呆《あき》れた迦陵頻伽だ」

しかし次の瞬間、桟橋に残された四羽目はひらりと飛んだ。すすっと数歩下がったところからタッと走ったと思うと、背に負った五色の羽形がまるで本物の翼であるかのように、桟橋からは一間以上も離れた船上へと見事に飛び移ったのだ。

「おおっ！」

「み、見られましたかっ、方々！」

「おう見ましたとも！　あの四羽目は本物ではないのですか!?　本物の迦陵頻伽では!?」

諸兄は、いまの一瞬にゾッとかいた冷や汗で腋《わき》がぬめるのを感じながら、やんちゃな離れ業のおかげで傾いたらしい天冠を直している千寿の遠姿に、(頼むからそのようなむちゃはやめてくれ)と懇願する思いの視線を送った。

「諸兄」

と帝に呼ばれて、

「は、はい」

とあわてた返事をしてしまった自分に唇を噛《か》んだ。

「あれらは東寺の稚児たちであったな?」

「御意にござりまするが、一人《いちにん》のみは」

「まこと霊鳥が化した者か?」

「いえ。最後に渡りました一人は、東寺の稚児ではございませず」

「なるほど、あれは千寿丸でありましたか!」

先回りして手を打ったのは右大臣様で、帝に向かって続けられた。

「あれなるは蔵人所に仕える小舎人童でござりまする。端午《たんご》の節会の走馬《はしりうま》に乗りました、あの元気のよい童でございますな」

「ほう」

まずいな……と諸兄は苦く唇を噛み締めた。四人の舞い手の一人として可もなく不可もなく務めてくれるなら、帝のお目に留まる気遣いはほぼなかったはずなのだが、すっかりご関心を得てしまったようだ。

じつのところ諸兄は、千寿が帝と間近でお会いする事態だけは、絶対に避ける方針だった。なぜなら、帝はまず間違いなく千寿の素姓を見抜かれるだろうと業平殿が言っていたし、そうなった場合、帝が東宮お可愛《かわい》さの手をお打ちになることもほぼ確実と思えたからだ。そして帝がお決めになられたことは、誰にも動かせない。

だから、そうした事態に陥らないよう、これまで極力気を配ってきたのだが、まさかこんなふうに事が流れるとは予想もしなかった。

しかも、いち早く帝のご興味にお応えした右大臣に後れを取らじと、公卿たちが口々に内裏で仕入れた千寿の身の上話やら評判やらを申し上げ始めて、ますます帝のご関心は掻《か》き立てられるふうだ。

いや、帝だけではなかった。

業平の声で「諸兄殿」と呼ばれて、そちらへ顔を向けたところが、

「東宮殿下が、のちほどぜひ千寿と話されたいと仰せだ」

嗚呼《ああ》っと頭をかかえたい心地は腹の奥底に押さえつけて、

「かしこまりました」

とお答えするほかはなく、諸兄は（いざの時は、その場で髪を下ろす）と決めた。

冠をかなぐり捨ててわが手で髻《まげ》を切り落とし、必要とあれば千寿にも髪を下ろさせて命乞いしよう。父母にはもうしわけのない親不孝となるが、千寿の命には代えられない。

そうこうするうちに千寿の乗る舞い船で楽の音が起こり、舞い船と御座船とはたがいに漕ぎ寄せ始めた。二艘が御覧にふさわしい距離で船べりを並べたところで、『迦陵頻』が舞われ始め……

見物するこちらの船上をホウ、ホウという嘆息の声が流れたのは、一臈二臈を務める二人の舞いが、童の舞いとは思えぬほどの、まこと端正な連れ舞いに仕上がっていたからだ。

二人の所作は、すっとかざす手の角度もトンと踏み出す足の歩幅も、まるで一本の糸で操っているかのように見るも気持ちよくぴたりと合っていて、またその所作の寸分の隙《すき》もない美しさは、雅楽寮の楽人も「ほう」と目を瞠《みは》りそうな見事な舞いぶりというもので。

御座船のまわりをゆっくりと漕ぎめぐっていく舞い船が、二めぐりを終えてゆっくりと漕ぎ離れていくまでのあいだ、帝をはじめとする見物の方々はただただしんと極楽の麗鳥たちの舞いに見入っておられ、諸兄もまた、ゆらゆらと遠ざかっていく姿に名残を惜しむ吐息をついた拍子に、ハッと夢から覚めた心地で正気に返った始末だった。

「あれは……よい舞人になる。あの一臈二臈は、次代の一流の舞い手になれるが……」

独り言のようにつぶやかれた帝が、諸兄に目を向けられて、にこりとなされながらおっしゃった。

「二臈は、あの子であったね」

「御意」

「顔だちも馬場での遠目で思うた以上にたいそう美しかったが、誰かに似ているね」

「さようでございますか」

「誰であったろうか……ひどくなつかしい気がしたのだが」

思い出そうとなされるらしく、帝はしばらくじっと目をお閉じになっておられたが、ハッと肩を揺らされて、そろりとお目を開けられた。

「……まさかと思うが……」

しかし帝はその先は仰せにならず、つねならば率先して口出しなさる右大臣も黙したままで、諸兄はいよいよ千寿の秘密が公然のものとなってしまったのを悟った。

千寿の命運は、いまや帝の手のひらの上にあり、そこには右大臣の考えも働くだろう。千寿の存在が東宮を脅かすという結論が出されたなら……よくて流罪、悪くすれば死を賜らないともかぎらない。

良相参議と宗貞様がこっそり顔を見合わせて、小野参議をうかがった。小野参議はそ知らぬふりで二人と目を合わせるのを避けつつ、右大臣と大納言のようすを見ている。ほかの公卿方もそれぞれに、たがいの腹を読もうとされている。

帝はすでに千寿の出自を確信されておられるようだが、公卿方は、右大臣や小野参議などのおよそ悟っている方々と、いわくありげだとまでしかわかっていない方々に分かれているようで、それぞれが千寿の生死を分ける判断をどうお持ちなのかは、諸兄には読めない。ただみながみな、腹の中に緊張を隠しておられるのを感じるだけだ。

水の上を渡ってくる楽の音混じりの風に乗って、女性方《にょしょうがた》の華やいだ嬌声《きょうせい》が流れてきて、船上の人々は救われたようにいっせいにそちらを振り向いた。

舞い船が女官たちを乗せた小舟の群れに漕ぎ寄せたところで、一曲をくり返し舞い続ける美少年たちの艶姿《あですがた》は、女性たちにとっては、キャアキャアとしゃべり合いながら愛《め》でるものらしい。

「やれやれ、かまびすしいものだ」

と帝がお笑いになり、右大臣がしたり顔で言上《ごんじょう》した。

「あれは四人の品定めをしていますな」

「われらが『五節舞《ごせちのまい》』の舞姫の品定めを楽しむごとく、ですか」

「いやいや、こちらは小声でヒソヒソとやりますよ」

「おう、誰ぞが領巾《ひれ》を投げましたぞ」

「ははは、三臈が拾うて被物《かずきもの》にいたしたわ」

「おやおや、次々と領巾が飛び飛ぶ」

「迦陵頻伽に羽衣を投げかける天女の図ですな」

「投網《とあみ》代わりの羽衣で捕《とら》まえて、手飼いにしようとの魂胆でありますかな」

「三羽は捕まるかもしれませんが、あとの一羽はむずかしいでしょう。飛んで逃げるし、馬でも逃げる」

そう陳述したのは小野参議で、しかつめらしい顔での冗談に、

「ハッハハッ、こりゃうまい！」

と応じたのは、蔵人所でも千寿を可愛がってくださっている宗貞様。

「言い得て妙ですな」

という諸兄の父の大納言の賛成票に、帝が「うむ」と笑みを見せられたのを見て、良相様が腹を決めたというお顔で「ハハハハハハハハ！」とお笑いになり、長良《ながら》様もちらと良房様をうかがいながらも「ホッホホッホ」と帝に迎合した。

「あの四人にも禄を取らせようと思うが、そのほうから見た舞いの出来はどうか」

帝が右大臣にご下問なさり、方々の注視が集まった。

「舞いへのご見識まことに高き主上に、私などが何を申し上げることがござりましょうや」

という言い方で右大臣はお返事を避け、この場で千寿への政治的判断を下す気はないという態度を表明した。

千寿の存在を黙認するか抹殺するかの判定は、（現在のところ四分六か）と諸兄は思った。最終的な結論は、六分を握っている右大臣の意向しだいということになろうが、帝は千寿を

擁護《ようご》したいお気持ちになられているようで、これは大きい。ことの決着は、帝と、東宮の祖父である外戚の舅《しゅうと》という立場の右大臣とのかけひきが、どう転ぶかによるだろうが、かなり希望は見えてきたのではないか。

（芸は身を助く、であるなあ）

千寿のみずみずしい舞いぶりを思い返しながら、諸兄はしみじみと思ったのだった。

しかし、千寿の運命が薄氷のあやうさの上にあることには変わりはない。右大臣の考えも、帝のお気持ちも、まだ何一つはっきりしているわけではないのだ。

（たとえどうしたことになろうと、そなた一人では行かせぬぞ。死ぬも生きるも俺が一緒だ）

諸兄は改めてそう誓った。

日が大きく西に傾き、やがて柿の実のように赤い夕陽となって山の端《は》に没し、空に残った茜《あかね》が紫に暗まると、大船の船首船尾に用意された吊り篝《かがり》に火が入れられた。

桟橋や岸辺でも次々と篝火が焚《た》かれ始め、御殿には明々と灯がともされて、水上からの眺めは、いずこかの幽玄の境の宮居を臨むかのようだ。

暗さが増すにつれて、女官たちの小舟は一艘また一艘と岸辺に戻っていき、誇らしく凰頭を掲げた舞い船もいまは桟橋につけた。

「さて、あれなる蓬萊《ほうらい》の岸に船を着けて、宴の席へと座を変えよう」

との帝のお言葉で、御座船も桟橋に戻り、諸兄は帝に手をお貸し申し上げて船を下りた。桟橋のたもとに灯をかかげて待つ人々の中から、松明《たいまつ》を手にした迦陵頻伽が二人、賓客を出迎える蓬萊天女の美しいお使い鳥であるかのように、桟橋の中ほどまで帝をお迎えにまかり越したのは、なかなか心憎い演出だった。一人は千寿で、もう一人は三臈をつとめた少年のようだ。

二人はこうした侍《はべ》りにも慣れた立ち居ふるまいで、左右から帝のお足元をお照らしし、残る二人の迦陵頻伽が待つ岸まで、ことなく帝をお導きした。

「美《うるわ》しの鳥たちは、東宮も迎えに行ってくれるだろうか」

という諸兄への帝のご下問を、諸兄が二人に取り次ぎ、千寿ともう一人は無言でしとやかに腰を折って、ふたたび桟橋を戻っていった。

「やはりあれは、雲井《くもい》の月の君《きみ》に生き写しだ」

帝が独り言につぶやかれ、諸兄は腹の中に置いた覚悟をさらにしっかと固めた。

腰に佩《は》いた恩賜《おんし》の太刀が一度目には諸兄の命を救い、二度目には世捨て縁切りの刃となるのは、皮肉な因縁というものだろうが……いや、それで千寿の命が助けられるなら、この太刀には二度救われることになる。

御殿までの先導を務めようと、藤《とう》の尚侍ら数人の女官と、その脇侍として松明を手にした業平と国経がお待ち申し上げていたが、帝は東宮のお渡りをお待ちになられるごようすで、諸兄は脇にひかえて立っていた。

ほどなく千寿たちにかしずかれた東宮が岸に降り立たれ、お待ちの帝に歩み寄ろうとなされた。

「あっ！」

とかん高い声を放ったのが千寿だと聞き分けた諸兄の耳を、別の声での叫びが打った。

「どなたもお動きなく！」

叫んだのは業平で、キャアアッと絹を裂くような悲鳴をほとばしらせたのは女官たち。

「カ、カガチ（マムシ）が！　主上のお足元にカガチがあっ！」

ぎょっとなりながらお足元を見れば、いつの間に這《は》い寄ったか、お沓先から半間ほどのところにくだんの長虫がいた。それも何に怒ったか、いまにも帝に飛びかかろうとするように、ぬうっとかま首をもたげているではないか。

「主上、お下がりくださいっ」

諸兄は言い、

「お動き召さるな！」

と業平が怒鳴った。

「カガチは動く物に飛びかかります。巌《いわお》のごとくお鎮まりになられておられませい」

諸兄はとっさに袴をたくし上げ、大股に足を運んで蛇に近づいた。

「カガチよ、おまえの相手は俺がするぞ」

　ばさばさと袴を煽《あお》って見せると、案の定カガチは諸兄のほうへと頭を向けた。だがまだ帝と諸兄とを等分に見張っているぐあいだ。

　諸兄は足を上げ、沓底でカガチの頭を踏み押さえてやろうとした。

　キャアッという女たちの悲鳴と「やめろ、馬鹿者！」という業平殿の叫び。

　それなりに狙い澄ましたつもりだったのだが、ひょいとよけた蛇のすばやさのほうが上回り、沓はザクと地面を踏んだ。と思うと、こんどはカガチのほうがシャッと向かってきて、諸兄は危ういところで難を逃れたが、ドッと冷や汗が出た。カガチは咬まれても大事ない沓ではなく、諸兄のすねを狙ってきたのだ。

「斬れ、諸兄！　腰に太刀を佩いているのを忘れているだろう！」

　怒鳴ってきた業平殿に、

「主上の御前で太刀が振るえるか！」

　と言い返したが、カガチはいよいよ敵は諸兄と決めたらしく、もたげたかま首をふらりふらりと揺らして隙をうかがっている。太刀を抜こうとすれば、その隙を突かれそうだ。カガチとの距離はほんの一歩。足を引いても一瞬に追いすがってきそうで、諸兄は完全に進退に窮してしまった。

　せめて誰かが気を利かせて、主上をお逃ししてくれればいいのだが、業平殿もそこまで気が回らないらしい。ここは自分がなんとかするほかはない。

六尺豊かな長身の諸兄が、二尺ほどしかない蛇と睨み合う図は、傍目《はため》にはこっけいに映っていたかもしれないが、諸兄としては必死の心地だった。相手は猛毒の牙を備えている。咬まれれば命はないという。

かっとカガチが口を開けた。(来る!)とわかって、一瞬身がすくんだ。

絶体絶命を救ったのは、横合いからすっと伸ばされてきた少年の繊手《せんしゅ》だった。

ひらひらっと招いた手に、いましも諸兄の足首に食らいつこうとしていたカガチはくるりと首をまわし、シャッと咬みつこうとした。

それへ「なんの」と応じた手の主は、千寿である。

「や、やめよ、千寿! あぶないっ」

諸兄は叫んだが、地面に片膝《かたひざ》をついてカガチとの一騎打ちを招き寄せた千寿は、

「いまのうちに帝をどちらかへ」

そう落ち着き払って言ってきた。

「お、おう」

とうなずいて、とりあえず帝を背でおかばいする位置に身を移した。

「これはわしが相手をいたしまする」

「し、しかし」

だが言うあいだにも、千寿はカガチ相手の素手での一戦を開始していた。

「こうれ長虫長虫、地面を這いずる虫の身で、われらが帝に何用じゃ。位階も持たぬそなたには、帝の御前に出る資格はない。蔵人様に取り次ぎ願うも、僭越至極というものじゃ。

こうれ長虫、用があるならわしに言え。そらそら、言わぬと捕らえるぞ」

そんなせりふを詠うように言いながら、肩の幅に広げて差し出した両手の、右の手をひらひらと動かしてカガチを誘い、カガチがそちらを向くと、こんどは左の手をひらひらさせてそちらへ誘う。そうして何度かカガチを右に向かせ左に向かせしておいてから、さっと左手でカガチをつかみにかかった！　が、それは見せかけ。シャッと誘いに乗ったカガチを、千寿は、目にも留まらない右手の早技でむんずとつかみ、「獲った！」と叫んだ。

見れば見事に、カガチの首をつかんでいた。

「カガチは獲りました」

と諸兄を見上げて笑った千寿に、

「お、おう」

とうなずいたとたん、ドッと汗が吹き出して、諸兄はいまさらながらに身が震え出すのを覚えた。

「か、咬まれてはおらぬな？」

「はい。このとおり大事ござりませぬ」

「捕らえたのか？」

帝の震え声がおっしゃり、諸兄は急いで向きを変え低頭して、危急の際とはいえ玉体《ぎょくたい》に尻を向けてしまっていた非礼を繕った。

「お許しなく御前に出でまいりました神泉の龍王よりの使いは、無礼のとがによって、これなる迦楼羅《かるら》王の眷族《けんぞく》が取り押さえました」

という披露は、よりにもよって毒ある蛇が帝のお足元をお騒がせした変事を、悪《あ》しき予兆となさぬように、わざとめでたい言霊《ことだま》で言い清めたものだ。

「そうか」

とお答えになった帝のお声は落ち着きを取り戻しておられ、一息置かれて仰せになった。

「使いの向きは陰 陽 頭《おんみょうのとう》に占わせよう。使者は池に放って、龍王にその旨を復命させるようにしなさい」

「御意」

諸兄は千寿に向き直り、帝のお言葉を下達した。

「かしこまりました」

と答えて、首をつかんだカガチを手に立ち上がった千寿は、もがくようにぐねぐねと腕に巻きつく蛇体を気味悪がるふうも見せずに、すたすたと水辺へ向かった。そのあたりにいた者たちがアワワッと身をよけるあいだを縫って水際に行くと、

「そうれ、ただちに龍王のもとに戻り、天子のご慈愛深きお情けをいただいたことをよくよく報告し申せ」

そう声高らかに告げながら、大きく腕を振ってカガチを池に投げ込んだ。

パシャンと水音を立てたカガチは、篝火が照らす池の面をするするとすべり去り、無事に放《ほう》生《じょう》できたようだ。

「諸兄よ」

「はっ」

「鳥たちへの禄は宴の座で授けよう」

「かしこまりました」

「東宮、まいろう」

尚侍たちにかしずかれて御殿へ上がられる帝をお見送りすると、諸兄は改めてホウッと大きく息をついた。

「やれ……やれやれやれ……」

それから四人の少年舞人たちを呼び寄せ、帝のお言葉を申し伝えた。

「そなたらには特に昇殿のお許しが下った。楽屋にて装束を改めて待つように。頃合いを見て式部の者が呼びにまいるゆえ、粗相のなきようにな。それと、千寿」

「はい」

「見事な働きであった」

「ありがとう存じまする」

「だが二度とはせんでくれ。俺は寿命が縮まった」

「もうしわけございませぬ」

「ともかく礼を言う。そなたがつかみ捕らえてくれねば、俺は咬まれて命危ういところであった」

「ご無事で何よりでございました」

言った千寿は、一幕のあやうさを思い返したか、大きな目をうるませていて、諸兄は「このとおり無事だ」と抱きしめてやりたく思ったが、衆人の目がある。

「だいぶ汗をかいたな。顔を洗い髪調えて、お召しを待て」

とだけ言ってやり、（おっと）と思いついてつけくわえた。

「手もよう洗えよ」

「はい」

とうなずいた千寿が、蛇をつかんだ手をつと鼻先に持っていき、クンと嗅《か》いで「臭い」と顔をしかめた。

カガチには青臭いような独特の強い体臭があって、草むらにひそんでいても鼻で感づけるほど臭うものなのだ。

楽屋に戻って天冠や舞い装束を脱ぐと、汗ばんだ肌がすうっと乾く心地がした。その涼しさにしばし目を細めて浸ってから、千寿はおなじように涼んでいる面々に話しかけた。

「やれ、あのように長々舞い続けるとは思わんじゃった。ああ、腹がすいた」

楽屋には、四人の世話に残っていた東寺の伶人《れいじん》たちのほかに人はなく、雅楽寮の方々はもう御殿の前庭に支度されていた宴席に行ったようだ。

千寿の軽口に蔦若たちは顔を見合わせ、鶴若がこわばった口調で言った。

「そなた、いったい何者じゃ」

「え？」

「宙は飛ぶわ、カガチは手捕りにするわ」

「まことは迦楼羅か迦陵頻伽であられまするのか？」

おずおずと聞いてきた亀若に、千寿はプッと吹き出した。

「宙を飛んだは、習い覚えた傀儡《くぐつ》の技。蛇をつかむ技は、村で暮らしていたころに遊びで覚えたものじゃ。寺に入ってからも時々は捕ったが。カガチは薬種になるからのう」

「では……そなたはふつうの人間なのじゃな？」

「そうじゃ。山寺育ちではあるが猿ではない」

わざとそうした言い方をしてやった千寿に、鶴若と亀若は気まずげに顔を見合わせた。

「狐でもないぞ」

とさらに突っ込んでやると、

「悪口の数々はなにとぞお忘れそうらえ」

と、なんと鶴若が頭を下げた。あわてて亀若も倣《なら》った。

千寿は少しどぎまぎしながら、急いで顔の前で手を振った。

「あのくらい。如意輪寺でも、あれこれ言う者はあれこれ言うた」

「お許しくだされるか!?」

「む、むろんじゃ。舞いはうまく行ったのじゃし、わしはなんとも思うておらぬ」

「では仲直りじゃ」

「うん、これからは仲良うしよう」

亀若蔦若もくわわって三人と一人で約束し合い、鶴若がうれしそうな顔で言った。

「これでわれらは内裏に顔の利く知り寄りができたぞ」

なんだ、そういうことかとがっかりする反面、野心家の鶴若らしいと可笑《おか》しくもなりながら、千寿は言ってやった。

「あいにくと、わしはただの走り使いじゃ。期待されても、おまえ方の引きにはなれぬ」

「はっ」

鶴若が小馬鹿にしたような顔を作ってやり返してきた。

「われらにそのような逃げ口上は利かぬわ。あの美しい『陵王』のお方や、あの背の高い帝のお側仕《そばづか》えのお方にたいそう可愛がられておるようじゃし、御前での大手柄で、これからは帝のお覚えもめでたかろう。きっと高きお引き立てをいただくのじゃから、他生《たしょう》の縁のわれらもおおきに期待しておくのよ」

千寿がぱっと赤くなったのは、『あの背の高い方』うんぬんに反応したものだ。

そこへバサリと幔幕をはぐって楽屋司が入ってきた。

「こりゃこりゃ、まだそのようななりで何としたぞ！　お召しじゃ、お召しじゃ、疾《と》く疾く支度せよ」

「わわっ！」

「もうでござりまするか⁉」

「ああ、もうじゃ、もうじゃ、もうもうじゃ。それ、急げや急げ」

「吉千代《きちちよ》殿、化粧を！　化粧を直してくだされ！」

「猪麿《いのまろ》殿、髪を頼みまするっ！　紅も！」

「わたしの水干《すいかん》！　水干は⁉」

蔦若たちが伶人たちに手伝われながら大わらわで支度に急ぐ横で、千寿は汲んであった盥《たらい》の水でざぶざぶと化粧を洗い流した。首筋と手足も洗ってさっぱりすると、髪は自分で結わえ直し、さっさと水干を着込んで身支度を終えた。

三人が支度を終えるのを待ちながら、（それにしても腹がすいた）と思った。お偉い方々の御前で、腹が鳴ったりしなければよいが。

楽屋司《がくやつかさ》が正殿の上がり口まで案内してくださり、四人は待っておられた内侍《ないし》の命婦《みょうぶ》に連れられて御殿の中に入った。

ぐるりと縁をめぐって行ったところ、大広間の簀子《すのこ》（縁先）に束帯《そくたい》姿の業平《なりひら》様が立っておいでになられて、千寿《せんじゅ》たちをごらんになると苦笑なさっておっしゃった。

「ああ、やっと来た。もしや極楽に飛び帰ってしまったかと心配になっていたよ」

「お待たせいたしましてもうしわけございませぬ」

と千寿が代表でお詫《わ》びした。

「大坂《おおさか》殿」

業平様が命婦をお呼びになり、二人は少年たちから少し離れたところへ行って何か話し始めた。

「あちらはどなた様じゃ？　『陵王《りょうおう》』を舞われたあの方よな」

鶴若《つるわか》が千寿に聞いてきたので、

「蔵人《くろうど》の左近将監《さこんしょうげん》・在原朝臣《ありわらのあそん》業平様じゃ」

と教えてやった。

「在原業平様……か。まことお美しいお方じゃのう」

「弓も馬もお上手なのだぞ。競馬《きそいうま》では右に出る者はおられぬお方じゃ。もっともそのおかげでひどいお怪我《けが》をなされもしたが」

「ふ～ん」

そこへおとな二人が戻ってきた。

「では、あとはこの業平が」

「お願い申しまする」

命婦を去らせると、業平様は四人を舞いの時の順に並ばせた。

「おまえが『一臈《いちろう》』か？　名は何という」

「蔦若《つたわか》でございます」

「三臈は？」

「鶴若でございまする」

「四臈は」

「亀若《かめわか》と申しまする」

「蔦に鶴亀だな」

業平様はそんな復唱のしかたをされて、「覚えやすくてけっこうだ」とお笑いになった。

「帝《みかど》に拝謁《はいえつ》する作法を教える。

俺が先導して御座の前まで行くから、俺が腰を下ろしたらそなたらも座り、俺が主上《おかみ》に会釈し申し上げたら、そなたらは平伏。そのままお言葉を賜《たまわ》る。

俺が御礼を言上《ごんじょう》したあと、『下がられよ』と声がかかるから、そうしたら低頭したまま三歩いざり下がり、改めて一礼して立ち上がる。俺の先導で退出する。

では行くぞ」

蔦若たちがゴクッと固唾《かたず》を呑んだ音が聞こえ、千寿もにわかに緊張を覚えたが、(ええい、落ち着け)と自分に言い聞かせた。

こうした場合に求められる頭の上げ下げの正しい作法や、美しく立ち居ふるまう方法は、如意輪寺《にょいりんじ》でたたき込まれてきている。それらを落ち着いてやればよい。

(背筋を伸ばし、顎《あご》を引いて、目はきょろきょろさせず……じゃ)

業平様が御簾《みす》をくぐって廂《ひさし》の間《ま》にお入りになり、蔦若を先頭にした千寿たちも続いた。

そこはすでに宴の下座で、千寿たちは膳を前にして居並んでおられる位袍《いほう》の方々の前を通って、母屋《もや》の間《ま》に上がった。国経《くにつね》様がおられて、その気はなかったのに目が合ってしまったので、会釈して通り過ぎた。ひどく不機嫌な顔をしておられたが、千寿には関係ない。

廂の間より上座のこちらにお座りの方々は、右大臣《うだいじん》をはじめとする公卿《くぎょう》方、そして色とりどりの美々しき唐衣《からぎぬ》を競うがごとき、女御《にょうご》や高位の女官《にょかん》方。

そうした方々の居並ぶ奥に、さらに一段高く床が張られ、御簾が下げられているところが、帝の御座所に違いなかった。

業平様はわが家をお行きになるように、その上段の間へと向かわれ、仕切りの御簾から四間《よんけん》ほど手前の場所に四人を導いた。

業平様が腰を下ろされたので、四人は教えられたとおりその場に平伏した。

「申し上げます。お召しにより『迦陵頻《かりょうびん》』を舞いました童《わらわ》どもを召し連れました。一臈、東《とう》寺《じ》の蔦若。二臈、蔵人所小舎人童《くろうどどころこどねりわらわ》の千寿丸。三臈、東寺の鶴若。四臈、おなじく東寺の亀若でございます。

稽古《けいこ》に励み見事な舞いを披露いたした褒美《ほうび》に、お言葉を賜れますれば、一同望外の幸いでございます」

ややあって、

「船上にて舞われた『迦陵頻』は、業平が申すとおり見事な出来映えであった」

とお応えくだされたお声は、主上のそれに違いない。やさしい声音とおだやかな口調で話されるお声は、ゆったりとお続けになられた。

「舞いの心は楽《がく》に通じるのみではなく、学問の道にも人品の徳にも通ずる。精進するよう」

続いて諸兄《もろえ》様のお声で、「主上にはかように仰《おお》せだ」との前置きのあと、おなじ言葉がくり返されて「……との仰せである」と締めくくられた。

帝のお声は千寿たちにもよく聞こえていたのだが、稚児《ちご》や小舎人童といった身分の低い者がじかにお言葉を拝聴するのは僭越《せんえつ》なことなので、近侍《きんじ》の者が取り次ぐという形式を踏むのである。

業平様がお言葉をいただいたことへの御礼を言上し、千寿が（さあ次は『下がられよ』だぞ）と思っていたら、

「その者らに禄《ろく》を与えよ」

とのお声が聞こえた。

それから、じっと平伏している四人の前に衣ずれの音が近づいてきて、焚《た》きしめの白檀《びゃくだん》の香りがふわりと匂い、ひれ伏した頭の先に何かが置かれた気配。

「帝より禄を賜った。拝領いたせ」

だが拝領の作法は教えてもらっていない。どうしたらいいのかと迷って、横目で蔦若をうかがったが、彼も固まってしまっていた。しかし、いつまでもぐずぐずしているのは見苦しい。

そこで千寿は思いきって頭を上げ、置いてあった白絹の反物一匹を両手でうやうやしくすくい上げて、低く下げた頭上におしいただいた。

ほかの三人も千寿に倣《なら》い、四人そろって礼をしたが、幸いに息が合ったそれは連れ舞いの衆らしく美しゅうてよかったと、あとで諸兄様からお褒《ほ》めいただいた。

「下がられよ」

のお声がかかり、業平様とともに無事に縁まで退出したところで、亀若がへたへたと座り込

んだ。

「どうした」

「こ、腰が抜けましてございまする」

「はははは。では饗応《きようおう》の座までは這《は》って行かねばならんな」

「えっ⁉」

「みな空腹だろう。雅楽寮《ががくりよう》の座におまえたちの膳もある」

亀若がぱっと顔を輝かせた。

「い、いただけるのでございますかっ⁉」

「ああ、食うて行け。でないと東寺まで戻るあいだに行き倒れよう」

「ありがたき幸せにござりまするっ」

育ち盛り食べ盛りの年ごろの少年たちにとっては、絹よりずんとうれしい賜り物だ。

さっそく駆け出そうとした中に、むろん千寿も混じっていたが、

「そなたにはまだ用がある」

と引き止められた。

そして「来い」と先に立たれた業平様は、宴の間にお戻りになるようだ。

「あの……どちらへまいりますのでしょうか」

「東宮《とうぐう》が親しく話をなさりたいと仰せでな」

「道康《みちやす》殿下がでござりまするか？」

「こら、御名をお呼びするのは陰での申しようだ。御前では帝は『主上』、東宮は『東宮殿下』とお呼び申し上げる」

「は、はい」

「なあに、さほど気難しいお方ではない。今宵《こよい》は顔合わせだけだしな」

「だけ……とおっしゃられまするのは……？」

「お気に入れば今後、話し相手や双六《すごろく》の相手に召されることもあろう、ということだ」

「わたくしは双六は存じませぬが」

「その時は殿下に教えていただけばいい」

　業平様は気楽な調子でおっしゃった。

「ん？　おっと、もう一つ用件があったのだった」

　そんなことをつぶやかれた業平様が千寿を連れていかれたのは、つい先ほど立ってきたばかりの帝の御前だった。

　さっきとおなじように平伏した千寿を、業平様はただ、

「千寿丸を連れまいりました」

　とだけ紹介なされたが、広間はなぜかシンと静まり返った。

「千寿丸、顔を上げよ」

と仰せられたのは諸兄様のお声で、千寿は何やらただならない雰囲気に戸惑いを覚えながら、平伏から低頭に形を改めた。平伏と違って背中は起こしているが、手は床につき、顔は伏せている姿勢だ。

「そなたの父の名は？」

御簾の向こうに座られたお方が、あのおだやかなお声でお尋ねになった。

「千寿丸、主上がそなたの父の名をお尋ねだ。お答えしなさい」

諸兄様が取り次ぎをおっしゃられ、千寿は作法にしたがって、かたわらにおいでの業平様に向かってお返事を申し上げた。

「わたくしは嵯峨《さが》如意輪寺の門前に捨てられました赤子にて、父の名は存じませぬことを、ご下問へのご返答といたしましてご奏上くださりませ」

おなじように母の名を尋ねられ、千寿はそれも知らないことを答えた。自分の出自についてあれこれ噂があることは知っているが、どれも真偽を確かめた話ではなく、こうした場で申し上げるようなことではない。

「千寿丸という名は、誰がつけたか」

「主上には、『千寿丸』という名は誰にもろうたかとお尋ねである。包み隠さずお答えしなさい」

包み隠さずと言われて、千寿は少し考え、慈円《じえん》阿闍梨《あじゃり》様からうかがった話を申し上げることにした。

阿闍梨様はそのことを千寿にもずっと秘密にされていて、千寿が寺を出てくる間際に、きっと親御と関わりがあることだからと言われて、お教えくだされた。

その時に、やたらと人に話さぬほうがよかろうとも仰せられたので、これまでは聞かれれば「名は阿闍梨様にいただいた」と答えてきたが、日の本をお治めになられる帝からのお尋ねに嘘はお答えできない。

「主上にご奏上願いまする」

と取り次ぎをお願いして、申し上げた。

「わたくしの名は、如意輪寺の門前で拾われました時に、左の手のひらに墨で書きつけて握らせてあったものだと聞き及んでおりまする」

「それは誰から聞いたか」

「わたくしをお拾いくださりました慈円阿闍梨様からでござりまする。

阿闍梨様は、手の中に名を握らせて捨てるとは、よほど子細のある赤子に違いないとお考えになられたそうで、誰にも知れぬようすぐに文字は洗い消し、着せてありました産着《うぶぎ》も粗布に替えて、牛飼い部《べ》の村に住む夫婦にわたくしをお預けになられました。ですから、手の中の名のことをご存じなのは、阿闍梨様だけでござりまする」

それから、このことは諸兄様にも申し上げていなかったことを思い出して、つけくわえた。

「この話は、わたくしも寺を出る直前まで知らずにおりましたことで、阿闍梨様から、人には言わぬ秘密として胸にたたんでおけと言いつかりました。ですが、主上のお尋ねでござりまするので、包み隠さず申し上げましたしだいでござりまする」

「親の名を知りたいと思うたことはないか」

というご下問が来て、千寿はまた少し考えてからお答えした。

「思うたことはござりまするが、知らずともこうして生かされてまいりましたし、これからも生きてまいれましょう。またわたくしには、拾い親の慈円阿闍梨様に、牛飼い部の村の育ての父母と、三人もの親がおられまする。これはあまり世にない幸せと存じまする」

「うむ、うむ。そなたの心映えの潔さ美しさに感じ入ったぞ」

帝はやさしいお声で仰せになり、言葉を継がれた。

「くさぐさ尋ねたが、朕《ちん》にもそなたの親の心当たりはつかぬ。あるいは唐土《もろこし》の伝説に言うような、天女と貴人との道ならぬ恋の落とし子ででもあるのやもしれぬな」

そんなふうに仰せられて、帝は「ところで」と諸兄様を振り返られた。

「取り寄せさせた物は届いているか?」

「ははっ」

「これへ持て」

「ただいま」

立って行かれた諸兄様は、何を持ってお戻りになられたのか。低頭している千寿の左右に居並ぶ皆様が、ハッと息を呑んだりホウと嘆息されたり、一言二言ヒソヒソと内緒話を交わされるのが聞こえて、千寿はひどく落ち着かない心地になった。

「さて、千寿丸。朕がそなたに命救われたは二度目だが、覚えておるか」

覚えはなく、

「……いえ、覚えはございませぬ」

とお答えした。

「一度目は、朕にとって命より大事な無二の宝珠である、東宮の命を救うてくれた」

思わずハッと顔を上げてしまった千寿に、帝はお声から拝察したとおりの温顔をほほえませて、ゆったりとうなずいてお見せになった。

「諸兄から、そなたの働きが元であったと聞いた。まずはその恩賞が一つ」

千寿は急いでふたたび低頭した。おやさしい笑みは目の奥に残って、胸がドキドキと弾んでいる。

「二つ目は今宵の手柄だ。あれもまた朕の大事な宝を救うてくれた、恩賞にふさわしい働きである。

そこで禄として、この品を授ける。諸兄」

「ははっ」

諸兄様が立ち上がられて、上段の間から降りて来られる気配。シュルッシュルッと衣ずれの音が近づいてきて、低頭の姿勢で床を見つめている千寿の視野に、袴《はかま》の裾《すそ》からのぞく諸兄様のお足先が歩み入ってこられた。

「千寿丸、主上からのご下賜《かし》のお品である。つつしんで拝領するように」

「はい」

床についていた手を膝に移し、屈《かが》めていた背を起こした。

諸兄様が両袖《そで》で捧げて差し出しておられたのは美しい細太刀《ほそだち》で、千寿は思ってもみなかった品に「えっ」と目を丸くした。戸惑いのあまりに、ヒソヒソとお尋ねした。

「あのっ、あの……これをわたくしに賜るのでござりまするか?」

「そうだ」

「で、ですが、あの」

これを腰につけて蔵人所のお役に駆け回るのは、おおきにじゃまであろうし、桂子《かつらこ》様からのいただき物よりもなお気を遣わねばならぬじゃろうし……などと考えて、もじもじしてしまっていた千寿に、諸兄様が苦笑しながらおっしゃった。

「たしかにそなたの背丈から申さば、このおとな用の太刀はいかにも長過ぎるが」

ドッと周りの方々がお笑いになり、急に雰囲気がほどけた。

「明日から佩《は》いて歩けとの仰せではない。いずれ背丈が釣り合うまでは、恩賜《おんし》の『守り太刀』

として宝にさせていただけばよいのだ。ささ、ありがたく拝領せよ」

千寿はおずおずと手を差し出し、帝からの賜り物を受け取った。

黒より深みのある紫檀《したん》のような漆塗《うるしぬ》りの鞘《さや》に、細かい彫りを施した銀の金具を装わせた細太刀は、瀟洒《しょうしゃ》な見かけから思ったよりもずしりと重く、おそらくは相当な価値のある一振りに違いなかった。

取り次ぎ役を終えられた諸兄様が、帝のほうへ向き直り、片膝《かたひざ》を立ててひざまずいておられた形を胡坐《あぐら》に改め低頭して、うやうやしくおっしゃった。

「畏《おそ》れながら、縁あって千寿丸の後見を務める身といたしまして、千寿丸になり代わり、厚く御礼申し上げます。

身にあまる恩賞をちょうだいいたしました今宵の感激は、主上への篤《あつ》き感謝の思いとして終生この胸に生き続け、身をなげうってお仕えする喜びをいやましに輝かせることと存じます。願わくば、天神地祇《てんじんちぎ》・仏法三宝《ぶっぽうさんぼう》の覚えめでたいこの御世が、千年にも万年にも亘《わた》りて弥栄《いやさか》えますよう。僧慈円の仏縁養子・千寿丸、ならびに後見人・藤原《ふじわら》諸兄、主上の忠良なる臣下として衷心《ちゅうしん》より祈念申し上げます」

それは、その時の千寿にはわからなかったが、じつに重大な意味をはらんだ言上《ことあ》げ（宣誓）だった。

そして帝は、居並ぶ公卿たちを前に、

「そなたらの誠、うれしく思う」

　というお言葉で宣誓を受理され、『千寿丸は今上帝《きんじょうてい》に臣従の誓いを立てた、帝の臣下である』という、千寿の立場についての公的見解が確定した。

　……これはそうした一幕の政治劇でもあったのだ。

　そのあと千寿は、歌会に備えた中休みのために一時別室に移られていた、東宮殿下のところへ連れていかれた。

　東宮道康殿下は、お顔だちといいお声といい父帝をそっくりお若くしたようなお方で、千寿に直答をお許しくださって、あれこれお尋ねになられた。

「そうですか、あの船へと飛んだ技は、『クグツ』のものですか」

「はい」

「それで、クグツというのはなんですか」

「は？」

「唐土のどこかの国ででもあろうが、私はまだ聞いたことがない」

「いえ、あの、傀儡《くぐつ》と申しますのは軽業《かるわざ》や人形の芸を見せて歩く者たちです」

「ほう？　カルワザというのはなにか」

「あー、あれです、わたくしが桟橋《さんばし》から船へと飛びましたような」

「ああ、あれが『カルワザ』ですか。なるほど、なるほど」

「はい。ああした技を習い覚えまして、祭りや市《いち》の場で人々にやって見せて銭を稼ぐ者たちを『傀儡』と申します」

「ほうほう。千寿丸は物知りですねえ。祭りはわかるが、『イチ』や『ゼニ』や『カセグ』というのは、どういったものだろうか?」

東宮殿下はたいへんよいお方だが、何もご存じなく、しかも知りたがり屋でおられた。つき添ってくださっていた業平様がうまく切り上げさせてくださらなかったら、千寿は一晩中こうした問答につき合わされていたかもしれない。

殿下はたいそう名残惜しがってくださって、千寿に、「ぜひ西雅院《さいがいん》に訪ねて来てくれるように」とおっしゃってくださった。

「私はまだまだそなたの話を聞きたい。どうか訪ねてきてください」

「畏れながら、殿下」

業平様がまじめなお顔で口をはさまれた。

「千寿丸はご学友方と違い、無位無官の地下《じげ》の者にてございますれば、いかに殿下のお言葉をいただきましても、みずから殿下をお訪ねするわけにはまいりません」

「そうですか」

と東宮殿下はひどくがっかりした顔をなさったが、

「殿下のほうからご命令としてのお召しがございますれば、喜んで参上いたしますでしょう」

と聞いて、

「ああ、そういうことですか」

と顔を明るくされた。

「では政《まつりごと》やら物忌《ものい》みやらがない日を選んで、宣下《せんげ》（命令書）を出しますから、その時は来てください」

「はい」

とお答えした千寿の横で、業平様がクスクス笑っておっしゃった。

「畏れながら殿下、千寿をお話し相手に召されるていどのことでしたら、舎人あたりに申しつけてお呼び出しになられれば済みます」

「ああ、そうなの。どうも私は知らないことが多過ぎますね」

「なんの。こうしたことは下世話の知恵と申しまして、われらしもじもの心得。いずれは帝の位にお就きあそばすやんごとなきお立場の殿下には、ご存じなくてかまわぬことです」

「それならば少しはホッとしますが、業平にもまだたくさん教えてほしいことがあります」

「お召しくだされば、いつなりと馳《は》せ参じます」

そう言われたまなざしの色から、業平様は東宮殿下がお好きなのだなと千寿は思い、なんだかうれしい心地になった。

その夜半……

宴に続いて歌会も楽しまれた帝の、清涼殿《せいりょうでん》へのご環御《かんぎょ》の供奉《ぐぶ》を無事に終え、疲れ果てた気分で蔵人所に退出してきた諸兄は、自分を待っていたらしい業平から「めでたい」と肩をたたかれて、一瞬ふわと気が遠のいた。

「おい、諸兄？　立ったままいきなり寝入るな」

「いや……魂が抜けかけた」

「なお悪いわ。座れ、白湯《さゆ》を汲《く》もう」

「うむ、すまぬ」

腰を下ろしたらもう立ち上がれないような気がしたが、業平殿は何か話があるらしい。しかたなくその場に座った。

蔵人所には二人のほかに残っている者はなく、灯火も一つ消し残してあるだけだ。

白湯と言ったが、業平殿が持ってきたのは酒入りの瓶子《へいし》と盃《さかずき》で、「まあ飲め」と注《つ》がれて干した酒は腹に染みる旨《うま》さだった。

宴席に侍ってはいたが膳につく立場ではない蔵人たちは、交代で簡単な夕餉《ゆうげ》をとった以外、飲まず食わずで過ごしてきたのだ。

「……千寿は？」

「雅楽寮の者たちと一緒に引き上げたはずゆえ、とっくに町屋《まちや》に帰っているだろう」

「そうか。それにしても……まさかアアめでたく収まるとは思わなかった。俺はすっかり出家の覚悟を決めていたのだ」

「主上の出方によっては、か?」

「うむ。おそばには近づかせぬようにしてきた努力も水の泡と消え、進退極まったと思うた。出家を条件に命乞いするほかなかろう、とな」

「ハッ、おぬしの浅はかや短慮はいまに始まったことではないが、いいかげん呆《あき》れるぞ」

「そうは言うが、主上が千寿をどう思《おぼ》し召《め》すかは、ふたを開けてみなければわからなかったからな」

「そこが浅慮だと言うのだ。あの主上が、あそこまで雲井《くもい》の君《きみ》にそっくりな千寿を、冷たくあしらったりできると思うか?」

「あり得はしたと思うぞ。東宮のおためならば」

「さてはおぬし、主上が一時期、身も世もあらぬほど雲井の君にのぼせ上がっていたことを知らぬな?」

「ほう、そうなのか?」

「これだ。物事にうといにもほどがあるぞ」

「しかし、かの君が亡くなられたのは十四年前。俺はまだ十一だったぞ」

「俺とておなじだが、噂はちゃんと耳に入れていた」

「どこでだ」

「後宮さ」

「だったら昇殿勝手であったおぬしだからこそ知り得たことだろうが！　俺が知らぬのはあたりまえだっ」

「まあいい。ともあれ主上は、雲井の君の忘れ形見に太刀をお与えになることで、謀反《むほん》を心配なさるおつもりはないことと、下には置かぬおつもりをお示しになり、おぬしが代弁した臣従の誓いは公卿どもにも容認されて、千寿は何も知らぬまま一件は落着。

あとは、千寿が自分の血筋に気づいて、道康殿下の天皇即位に横やりを入れるとか、誰ぞがよほど巧妙な讒言《ざんげん》でも仕組んでおぬしらを陥れないかぎり、千寿の身は安泰だ」

「問題が起きるとしたら、千寿を利用しようとするあらぬそそのかしに、千寿がうっかり乗せられてしまったような場合だが……」

「おいおい、そうしたやからを千寿に近づけぬようにするのが、俺やおぬしの役目だ。役得としてよいことを愉しむのはおおいにけっこうだが、肝心の務めを忘れてどうする」

「うむ、そうなのだな……そうなのだ」

「……おい、寝たのか？」

「いや。だが……眠い」

「わかったわかった、話は終わりだ。町屋に戻って寝ろ」

「うむ……」

よろりと立ち上がって戸口のほうへ行こうとして、諸兄はふと足を止めた。

「なあ」

「ん？」

「たぶんおぬしは、俺の知らぬところであれこれ動いてくれていたのよな」

「なんのことだ」

「公卿方だ。千寿の臣従がすんなり通ったのは、おぬしが何らかの根回しを済ませておいてくれたからだろう？」

「買いかぶりだ」

業平殿は苦笑して、

「一つ言っておく」

と真剣な目を向けてきた。

「今宵、あの言上げがすんなり認められたのは、あの場が『たなばたの遊びの宴』という、いわば正式ではない場所がらであったからよ。もしおぬしが、あれを朝議の場で持ち出していたら、話はまったく変わっていただろう。

わかるか？」

「……ああ。おぬしが何が言いたいのか、およそは」

「つまりだ、千寿のことはタヌキ親父どもの黙認事項として見逃されたのであって、こちらは、あれがけっして表沙汰《ざた》になるものではないことを忘れてはならんということさ。

言い方を換えれば、これからの千寿は朝廷に黙認された『日陰者』として、タヌキ親父どもの目こぼしのおかげで生きていくわけだ」

「……ううむ」

「もっともそれを言うならば、雲井の君も、そうした目こぼしで生かされていたお方。いったん瑕《きず》がついた血筋というのはそういったものなのだと、あきらめるほかはない」

「まあ……立身出世だけが人の幸せではないだろうしな」

一生日陰者とされることが決まって、出世の道どころかおそらくは位階を得ることさえ閉ざされた千寿だが、（幽閉や流刑《るけい》に比べればずっとマシと思い、『哀れ』とは考えまい）と思いながら言った諸兄に、業平殿はせせら笑う調子で返してきた。

「考え方によっては、けっこうな身分さ。飼い殺しの親王あたりよりは、よほど自由に生きられようよ」

「うむ。千寿には俺もおぬしもいることだしな」

自分に言い聞かせる気持ちでつぶやいた諸兄に、業平殿は、

「そういうことだ」

と含み笑いし、

「さあ、もう行け」

と手を振った。

「おぬしがおっては、俺は出かけられん」

「このような時刻から、どこへ行く？」

「聞きたいか？」

「……いや、やめておこう」

「梅壺《うめつぼ》の女御のところだよ」

諸兄は思わず青くなり、

「お、俺は聞かなかった！　何も知らんぞっ」

と言い捨てて急ぎ退散した。

おそらく人の悪い冗談だとは思うが、その気になれば女御（帝の側室）との情事などということも平気でやってのけそうだと思わせるのが、業平という男なのである。


蔵人所町屋の、自分の曹司《ぞうし》の前まで帰り着いて、諸兄は（おや）と眉《まゆ》をひそめた。

曹司が真っ暗なのである。

さては千寿は眠ってしまって、灯しの火が絶えたのに気づかないのだなと思いながら、軒下の吊り灯籠《どうろう》を拝借して曹司に入った。

まずはいつも千寿が床を延べるあたりに目をやったが、そこには床すら敷いてなかった。

「ほほう？」

と諸兄は相好《そうごう》を崩した。自分の床にいないということは、千寿は、いつもは招かないかぎり入ってこない諸兄の床の中にいて、そんな自分を恥ずかしがって灯しを消しているのだ。

とりあえず灯明《とうみょう》皿に火を移して、重たい灯籠は軒の吊り具に返してきた。灯明皿の火であと三つの灯もともし、部屋をすっかり明るくした。

それから、曹司の奥の几帳《きちょう》囲いに踏み込みつつ、

「戻ったぞ」

と声をかけたのだが。

几帳の奥の床畳の上には、おちゃめに隠れている千寿の姿があるどころか床すら延べられていなくて、ただ無人の冷ややかさがあっただけ。

諸兄はサアッと青ざめた。

「千寿？　どこだ、千寿!?」

曹司のすみずみをのぞいてみたが、千寿はどこにもいなかった。

諸兄は隣の曹司に走った。住人である紀数雄《きのかずお》殿はもう寝ていたが、

「御免そうらえ」

と揺り起こし、寝ぼけまなこを開けた数雄殿に尋ねた。

「千寿をご存じないか!?」

「いや……」

「いないのだ！　何かご存じないか!?」

「いいや、知らぬな」

「そ、そうか。じゃまをした」

何か知っていそうな人間の心当たりをつけようとしながら、数雄殿の曹司を出た。

「光正《みつまさ》ならっ？」

と思いついて、業平殿の曹司に行った。

曹司は真っ暗の無人で、小舎人は業平殿の供に行ったか、舎人部屋あたりにいるのか。

「ええい、ええいっ」

焦りにじだんだを踏む思いで諸兄は舎人部屋に向かい、宴のお流れの酒盛りをしたらしい舎人たちを揺り起こして聞いてみたが、誰も千寿のことは知らなかった。

「そう申せば、まだ町屋には戻ってきておらぬと存じます」

という重大な証言を出してきたのは、千寿と仲のいい新田寿太郎《にったじゅたろう》だった。

「諸兄様の供についているものとばかり思うておりましたので、気にもいたしておりませなんだが」

「俺は、雅楽寮の者たちとお流れをちょうだいしたあとは、こちらに戻ってきているものとばかり思うておった」

「では、雅楽寮に尋ねてまいりましょう」

さっそく行こうとしてくれた寿太郎を、

「いや、俺が行く」

と断わったのは、どんな話にしろ自分の耳で聞きたかったからだ。

「ではお供いたします」

寿太郎は言い、松明《たいまつ》を用意するやら、出向いた雅楽寮で寝ていた舎人たちをたたき起こすやら、まめまめしく働いてくれた。だが舎人たちは何も知らず、しかたなく今日の楽屋司をつとめた止鳥《ととり》殿を起こしてもらった。

そして、止鳥殿の返事は……

「国経殿だと!?　国経殿が千寿をつれていったと申すのか!?」

「はい。国経様が私どもの席にお見えになられ、千寿丸を呼び出して行かれました。そのあと私どもはこちらに引き上げてまいり」

「千寿は国経殿につれられていったままか！」

「私どものほうには戻りませんでした」

「蔵人所の町屋にも帰っていないのだ。それで、国経殿はなんと言うて千寿を呼び出した!?」

「さて……千寿は東寺の稚児たちと下座のほうにおりましたので、国経様がどのように仰せられたのか、私には……」

止鳥は困り顔をかしげてみせ、

「ただ」

とつけくわえた。

「千寿丸は少し困っているようすで立っていきましたな」

そうだろう、国経殿に呼ばれて喜んでついていくはずはない。だから、したがわざるを得ないような用件で呼び出されたのだろうが……

「右大臣様のお声掛かりか、あるいは長良《ながら》様のほうか？」

ともかく千寿の行方は国経殿が知っているはずだ。

止鳥に詫びと礼を言って、雅楽寮を出た。

「寿太郎、長良様の屋敷にまいるぞ」

と言いつけたところが、

「このような時分にですか？」

と返してこられて、そういえば深夜であるのを思い出した。そして訪ねる先は権中納言参議《ごんちゅうなごんさんぎ》の屋敷である。

「ううむ～」

と諸兄は考え込んだ。

そのころ千寿は、夢見心地の中にいた。横たわった体が、ふわりふわりと小舟に乗っているような揺れを覚えているのは、いくら飲んでも酔わぬからと飲まされた、甘い酒《ささ》のせいだろう。だがゆらゆらする感じはめずらしく面白くて、千寿はクスクスと笑った。

「おやおや、すっかりご機嫌だね」

と言ってこられた国経様に、

「はい、楽しゅうござりまする」

などとお答えしたのも、酒のせい。

千寿のかたわらにくつろいだ格好でお座りになった国経様は、千寿の返事にクスッと笑っておっしゃった。

「ならば、ずっとこの屋敷にいてくれ」

「それはだめでござりまする」

千寿は首を横に振り、アハハッと声を上げた。

「めずらしや、天井がまわります。あれ、あのようにくるくると」

生まれて初めての酔い痴《し》れるという状態の中で、千寿は、ここにいるわけも用件もすっかり忘れてしまっていた。

雅楽寮の宴から呼び出された時、国経様の口上は「右大臣様がお召しだ」というものだったのだが……

口上を告げられ、なぜ召されるのか心配ではあったが、ご相談しようにも諸兄様も業平様も帝に侍《はべ》っておられ、また用件もわからぬままその場でお断わりするような非礼はできない。しかたなく国経様についていった。

つれていかれたのは宴の場ではなく正殿の車寄せで、待っていた牛車《ぎっしゃ》に（はて）と強い不審を覚えたが、

「そなたの父母のことに関わる内密の話ゆえ、屋敷に来てもらう」

という説明に、

「諸兄殿も来ることになっている」

と言い添えられて、うなずいた。国経様は公務の時のまじめな顔でおられたからだ。

それでもふだんのかまってき方からして、もしや牛車の中でみょうなことをなされるのではないかと警戒してはいたところが、車に乗せられたのは千寿一人。

「わたしも叔父も、歌会の席を外すわけにはいかぬゆえ、そなたは先に行っていてくれ。供の者がすべて心得ているから心配せずともよい」

ということで、ギシギシと牛車に揺られて、たぶん右大臣様のお屋敷とおぼしい邸宅につれて行かれた。

夜目にも立派な車寄せに降り立った千寿を迎えたのは、奥仕えの側女《そばめ》とおぼしいふくよかな

中年の女人《にょにん》で、千寿に「おなかはおへりではないか」と尋ねてくれ、通してくれた部屋に膳を運んできてくれた。

一度は遠慮を申し上げたが、女は重ねてすすめてくれ、千寿は宴の膳にはろくに箸《はし》をつける暇もなく召し出されてきたので、腹はいまにもぐうぐう鳴りそうなぐあい。

ありがたく箸を取らせていただいたら、「まま一献《いっこん》」と酒まで出てきた。

「いえ、わたくしは」

酒は味を知っているというていどにしか飲んだことがないが、飲めば酔う物であることはわかっているし、いまから右大臣様にお会いするのだ。

「いただけませぬ」

「けっこうでござりまする」

と何度も辞退したのだが、女は、

「そう言わず一口なりと」

と譲ってくれず、とうとう断わりきれずにちびりと嘗《な》めた。

「やっ、たいそう甘うござりまする」

「美味であろう？　これは飲んでも酔わぬ粕酒《かすざけ》ゆえ、遠慮なくきこしめせ」

「はいっ」

というわけで、注がれるままに飲んだところが……国経様が部屋に入ってこられた時には、千寿はすっかりよい心地になってしまっていたのだ。

「アハハ、アハハ……ごらんなされませ、天井がくるくると……」

相手が警戒を要する国経様であることも忘れて、まわる天井を指さしてみせたら、その手をつと握られた。

「わたしのもとに来れば、日々面白おかしゅう過ごさせてやるぞ」

握られた手を取り返そうとしたが、放してもらえなかったのであきらめて、千寿は、

「だめでござりまするー」

と、下唇をつき出して見せた。

「わしにはー、諸兄様にお仕えするご用がござりますのですよー」

「そなたがわたしのもとに来ると言えば、諸兄殿とて無下《むげ》にはできぬさ」

「わしはー、そんなことは申しませぬよー」

「だが諸兄殿は、もうそのように思うておろう」

「んー？　何がでござりますー？」

くるくるまわる天井は見飽きたので目をつぶったとたん、とろりと眠気に包まれた。

「今夜そなたは帰らない。すなわち、そなたはわたしに仕える気になったのだと、そう思うておるだろうというのさ」

「んー……どなたがでござりますかあ？」

「だから、諸兄殿がよ」

「ん〰〰……仰せの意味がわかりませぬう……」

「だからだなっ」

「眠うて……眠うて眠うて……だめじゃー……」

自分がそう言ったことさえ意識には留まらず、眠りに呑まれたことにも気づかないままに、千寿は酔いが誘い込んだ深い眠りに落ちてしまった。

つねの警戒ぶりはどこへやら、手は自分の手の中に預けたまま、まるで無防備に寝入ってしまった千寿を、国経は「ふふ」と笑って見下ろした。

「蜜を入れた酒は思うた以上によう効いたな。さて……そなたをどうしてやろうか」

千寿に言った「右大臣のお召し」という口上は、むろん嘘である。だまして屋敷につれてきて、あまつさえ酒に酔わせまでしたのは、とりあえず今夜のうちには帰さぬためだった。

理由は、あの憎々しいからかいをやってくれた朝臣業平への、仕返し。

国経が業平殿から一夜を求める熱い文をもらったという話は、たった半日のうちに内舎人《うどねり》仲間の耳にまで届いてしまい、国経はたいそうな恥をかかされた。

噂の火元であろう女官たちは、国経がきつくはねつけたようすも聞いていたはずなのに、どういうわけかその部分は伝わっておらぬようで、「今宵はどうされるのだ?」といった尋ね方をされるやら、あるいは「男色の道になど嵌《は》まられまいぞ」などという、言われるにはおよばぬ忠告をささやかれるやら。

むろん「あれは業平殿の悪ふざけで、まともに取り合う気などない」との返事を返したが、一部の遠慮の薄い友人たちは「あちらは手練《てだ》れの色好み。ともかく気をつけることだ」などとニヤニヤしてくれて、不愉快千万な思いをした。

ところが今日は厄日であったのか、帝の御前での舞いの披露で、またもや業平殿がらみの腹立たしい出来事が持ち上がったのだ。

業平殿の舞いはおおいにお褒めにあずかったのに、自分がいただいたのは「まだ未熟である」とのお言葉だったうえに、「精進せよ」との仰せに続いて、業平殿との二人舞いを仰せつけられた。それすなわち、業平殿に舞いを習えと命じられたのも同然で、国経はくやしさと間の悪さへの恨みで、はらわたが煮えくり返る思いをした。

しかも帝たちが船にお移りになったあと、庭に残っていた国経は、業平殿からわざとらしい流し目を添えて「舞いの稽古はわが屋敷でいたすことでよろしいな」などと言い出され、断わるのにさんざん苦労をさせられた。

それやこれやですっかり頭に来ていたところへ、例の千寿丸が宴の席に呼ばれてきたのを見て、不快憤懣《ふんまん》を吹き飛ばす意趣返しを思い立ったのだ。

業平も諸兄も、今夜は帝が還御なさるまで近侍に侍り、小舎人童の出る幕はない。これは千寿丸をわが屋敷に攫《さら》い込むには、うってつけの機会である。

そこで右大臣のお召しだとの口実で誘い出し……

「こうまんまと行くとは思わなかったが、ふふふふ、わたしのほうが数枚上手《うわて》だったな、千寿丸」

それにしても、見れば見るほど美しい童だった。酔って眠っている顔など、ふつうはだらしなく間が抜けて見苦しいものだが、千寿丸の寝顔というのは、薄く開けている口もとのゆるみは愛らしさを覚えさせ、また酔いに染まっているほおの赤みも、まるで化粧に刷《は》いた紅であるかのようだ。

その口がハアと大きく寝息をついたと思うと、千寿丸はもぞもぞと寝返りを打った。国経が座っているほうに向かって寝返りしたので、くの字に横臥《おうが》する姿勢になった千寿の鼻先が、立て膝した国経の袴の裾に触れんばかりの場所に来た。

すぐ目の前に（好きになされ）という風情で美しい横顔を置いている千寿丸の、ほんのり紅色に染まった耳の形よさ……いかにもやわらかそうな耳たぶに誘われて、そっと指先で触れてみた。思ったとおり、ぷにりとやわらかい触れ心地を、指先でつまんでみた。ふにふにと揉《も》みいじってみた。

「ん……」

と千寿丸が小さく声を洩《も》らし、国経はびくりと手を引いたが、目が覚めたわけではないらしい。

ふたたび手を伸ばして、こんどは指先で耳の形をなぞってみた。千寿丸はうんともすんとも反応しなかったので、耳たぶや耳の後ろの窪《くぼ》をくすぐるようになでてやってみた。

「ん〜ん」

千寿丸が出した声は甘える響きで、国経はゾクとなった。股間《こかん》がだ。

「そうよな……業平殿への一番の面当ては、そなたを寝取ってやることよな……」

つぶやいたのは、自分への提案。

それまで国経が持っていた千寿への興味というのは、べつだん色事にしようという気はない、いわば無邪気なものだった。右大臣の甥《おい》という、誰もが一目置いて対してくる御曹司の自分に、身分のわきまえは言葉遣いに表わしつつも、からかえば気強くキャンキャンと言い返してくるようすが新鮮で、面白いからかい相手と思っていただけだった。

それへ色めかした揶揄《やゆ》を混ぜたのは、そうすることで千寿が赤くなったり怒ったり困ったりするのが楽しいからで、自分の侍童として欲しいと思う気持ちの中には、じつは夜伽《よとぎ》をさせるために侍らせるといったつもりは皆目なかった。

なにしろ、自分でも昔の自分によく似ていると思う顔だちをした少年なのである。そうした相手に欲情するような性癖は、国経にはなかった……はずだった。

ところがいま、国経の中で何かのタガがはずれようとしていた。国経はそれを、業平への復

讐心がそうさせるのだと考え、ならば認めてやろうと思った。

たしかに顔だちは似てはいるが、良房《よしふさ》叔父の調べによれば血縁でも何でもないそうな、他人の空似。それにそもそもが、煩悩《ぼんのう》盛んな僧たちのオモチャになっていた、卑しい稚児ではないか。いまの身分にしても、朝臣業平の寵童《ちょうどう》といえば聞こえはいいが、ようは好き者殿の色情に仕える遊び女《め》よろしき稚児奉公であるわけで……あるいは後見人とやら言っていた諸兄とも関係があるのかもしれず……

そう思ったとたん、胸の底から火のような衝動が突き上げて、国経はそれを（怒りだ）と考えた。

「他人の空似とはいえ、この顔であのような才も取り得もない男にまで身を任せるとは、わたしの顔に泥を塗ったも同然。また業平殿もきっと、このわたしを汚すような気でおまえを抱いているに違いない。ああ、そうだ……違いない、あれは藤原嫌いの男ゆえ……きっとそうだ」

そんなふうに決め込んで、国経はくーくーと眠っている千寿の水干《すいかん》の緒に手をかけた。

なにやらひどく凶暴な熱が身内に湧《わ》いている。

「清らげなふうをしているが、そなたのなりわいは夜ごとに男を歓ばせることだ。そうなのであろう？　なれば今夜は、この国経がそなたを買うてやる。ありがたく思え」

そう宣告して、残酷な気分にわくわくと胸を躍らせた。

立ち上がって部屋の四隅にともしてある灯の三つを吹き消した。

とぼとぼと小暗い陰を作る明かりを頼りに、シュッと首上《くびかみ》の緒を引き解いて前の合わせをはだければ、その下は肌の色を透き見せている麻の単衣《ひとえ》一枚。袴のひもをほどいて引き脱がせても、千寿は「んん～」と息をついただけで目覚める気配はない。

横臥の肩を押して仰向けに寝返らせた。正体なく寝入っている小柄な体は、難なく国経の手にしたがい、投げ出された手がパタと音を立てた。

国経は、初めて女の床に入った時のような緊張と興奮を覚えながら、単衣の腰を締めている細ひもをほどき取った。するると前をはだけてやった。

まだ男のたくましさはない、ほっそりと華奢《きやしや》な体つきだった。なめらかに白い胸……すっぺりとした腹、えくぼのようなへその窪……そして淡い草むらの中に、ちんまりと収まった男のしるし……

それから胸へと目を戻して、ふくらみかけた桃の蕾《つぼみ》のような乳首に目を留めた。

そろと指先で触れてみた。弾力のある感触をくりくりと指で愉しんだ。

と……

「んん～」

と千寿がかぼそく声を上げ、舌たらずにつぶやいた。

「眠うござりますう……諸兄様……」

やはり！　と思った腹がカッと灼《や》け、国経は荒々しく千寿丸の胸乳をつねりあげた。

めた。

「あんっ」

と千寿丸が上げた蕩《とろ》けた声に腹立ちを煽《あお》られて、さらにぎゅいぎゅいと力を込めてつねり責めた。

「あっ、あんっ！　い、痛い、痛うございまするう〜っ」

まだなかば眠りながら、責めから逃れようと身もだえた半裸の体を、馬乗りになって押さえつけた。その拍子におのれの体の高ぶりに気づいて、ニマリとなった。

「そらそら、こちらの支度はできているぞ。噂に聞く稚児の床技、見せてもらおうか」

言ってやったとたん、千寿丸がぱちりと目を開けた。

一瞬、何が起きているのかわからないらしい顔をしたが、すぐに気づいてヒッと喉《のど》を鳴らした。

「く、国経様!?　や、やめっ、おやめを！」

その怯《おび》えた表情の色めかしさ！

「ならぬ、これは仕置きだ」

国経は勝ち誇る思いで言ってやった。

「わたしそっくりのその顔で、幾多の男どもの淫《みだ》ら心に身をなぶらせてきたそなたは、この国経の名を汚したも同然。その仕置きだ、おとなしゅうしたがえっ」

「い、いやです！　おやめくだされっ、お放しくだされえ！」

「いいや、ならぬ！　今夜この場から、そなたはわたしのものだ。わたしのものにするるっ」

言いつつむんずと股間をつかんで、乱暴にぐにぐにと握りいたぶってやった。

「ひいっ！」

と千寿丸はのけぞり、そのさまがさらに国経を煽り立てた。

「一度は可愛《かわい》いと思うてやったのだ。弟のようにしてつれ歩いたら楽しかろうとも思うた。だがそなたは、しょせん尻軽の稚児。業平ばかりか諸兄にまで、この身をこのようになぶらせているのだ。そうであろう！　この顔で、この体で、ほかに何人の男と寝た!?　許せぬ、許せぬぞ、千寿丸」

「あっあっ！　ち、違いまする、この身は諸兄様お一人のもの！」

魚のように身をひねってうつぶせに逃れた腰を、がしりと抱き捕らえつつ、

「嘘を申すな！」

と叱《しか》りつけ、

「これ、ここに」

と桃の実のような白い尻をつかんだ。

「ここに夜ごと男を迎え入れているのであろう！」

「やっ、ちがっ、違うっ！」

「ええいっ、淫らなやつよ、にっくき諸兄よ、業平よ！」

手を振り上げて、パンッと尻を打った。その打ち心地と、ぶるっと背を震わせ逃がれようともがいた千寿丸のようすが快くて、さらにパンッパンッとぶってやった。

「お、お許しをっ」

と千寿丸が悲鳴を上げ、暴れるのをやめた。つられて国経は、細腰をかかえた腕の力をゆるめた。

その一瞬に、千寿丸は猫のように身をくねらせて国経の腕から抜け出し、「うぬっ」と追いかけた国経はドカッとわき腹を蹴《け》られて転がった。千寿丸が逆襲してきたのだ。

「お、おのれっ、わたしを足蹴にするとは！」

わめいて飛びかかろうとした顎をガンッと蹴り上げられ、くらりとなった。

「う〜ぬ〜っ、重ね重ね無礼な！」

その耳元をヒュッと何かがかすめ、国経はとっさに首をすくめた。

パサッと何かが几帳の垂れに当たり、そちらに目を向けた。

その瞬間、シュッと鼻先をかすめた物がカッと目の前の床に突き立った。ブルンッと震えたそれは、鷹羽《たかは》の矢。

「な、何者！」

叫んだ国経に、

「三の矢は尻にでも射込むか？」

とうそぶいた声は、

「な、業平殿⁉」

「おう」

と縁先の暗がりから答えた声に、

「俺もおるぞ」

と、きしるような声を添えてきたのは、

「も、諸兄！」

「お遊びが過ぎましたな、国経殿」

怒りの深さが伝わってくる声音で低く言いつつ、ぬっと曹司に踏み込んできた諸兄は、

「ああっ！」

と掻《か》き寄って取りすがった千寿丸を位袍の袖にくるみ込んだ。

その横へすっと踏み出してきた業平が、手にたずさえた梓弓《あずさゆみ》をトンと杖について、ホウッとため息をついた。

「ばかな真似をしたな、国経。わざわざ俺に弱みを握らせてくれるとは」

「な、何のことだっ」

国経はやり返したが、声は震えてしまっていた。じっと自分を睨《にら》みつけている二人の気色《けしき》は、それぞれ腰に佩いた太刀をいまにも抜き連れてきそうに殺気立っていたからだ。

「諸兄、抜くなよ」

業平が言って、国経は、諸兄が太刀の柄《つか》に手をかけていたのに気づいた。

「こちらの御曹司は千寿に惚《ほ》れたが相手にされず、可愛さ余って憎さ百倍の心地で、ちとばかな真似をなされたまでだ。しかしまだまだ色事に慣れておらぬ身の哀しさで、俺ならとっくに食い終えている千寿の操は食えずじまい。見ろ、袴の緒も解いておらぬもたつきぶりだ。しかしまあ、おかげで双方無事に済んだということで、帰るぞ」

「なにが『無事』だっ」

唸《うな》るような声音で吐き捨てた諸兄は、まだ太刀の柄を握り締めたままで、国経はゾッと身の毛がよだつのを感じた。

この男……わたしを斬る気だっ。

「このような目に遭わされた千寿の、どこが『無事』だと言うのだっ！」

「無事だな？　千寿」

業平が言い、諸兄の袖の中で千寿がコクリとうなずいた。

「はい」

と、もう一度うなずいて、ひしとしがみついた諸兄の胸に顔を埋めた。

「ですからどうか、お怒り鎮めてくださりませっ」

「しかし！」

「右大臣様の甥御に斬りつけたとあっては流罪か死罪か！　どうかお鎮まりをっ」

千寿丸は救いの主にすがりついているのではなく、暴挙に出ようとしている諸兄を必死に押し止めようとしているのだと気がついた。

業平も口を添えた。

「頭を冷やせと言っても無理だろうから、ここは二矢《ふたや》に命を張った俺に免じてこらえろ。気に入りの甥殿に矢を射かけたと知れば、良房は目の色変えて俺を追い落としにかかるだろうし、俺は、ろくな女はいない鄙《ひな》へ追いやられるなど真っ平だからな」

ギリリリッと諸兄は歯ぎしりし、ならぬ堪忍を必死の努力で呑み込んだとわかるしぐさで、太刀の柄から手を放した。

「権勢並びない叔父殿に感謝することだな、国経」

と冷笑を浴びせられて、国経はカッと頬に血をのぼせたが、言い返すことはできなかった。業平の憎まれ口は正鵠《せいこく》を射ていたからだ。

「これはよけいな差し出口だが、おまえが諸兄の艶福《えんぷく》に嫉妬《しっと》する気持ちはよくわかる。こんな武骨顔の朴念仁《ぼくねんじん》が、この俺を差し置いて千寿のベタ惚れを得ているなどとは、まったくもって納得のいかぬ椿事《ちんじ》であるさ。だが蓼《たで》食う虫の好き好きに、誰が口出しできる？

言っておくが、諸兄も俺も二度は許さん。つぎは問答無用で射殺すか、斬り殺すか。千寿を力でわがものにしよう気が失せぬなら、命懸けと腹をくってかかるがいい」

なにか言い返さないと、歌合わせでの負けに引き続く今日四度目の敗北を認めることになると感じて、国経は言葉を探した。

「惚れているだの嫉妬だのと、勝手に話を作らないでもらいましょう！　わたしは、その顔で卑しいなりわいに身を汚しているそやつが我慢ならなかっただけだっ」

業平がやれやれと呆れている表情で返してきた。

「千寿の顔だちにこだわるのは、それこそおまえの勝手な思い込みだ。前にも言ったろう、千寿とおまえは似てなどいない。

自分の気持ちについては、胸に手を当ててよく考えてみるのだな。おのれの恋の機微を読み間違うようでは、まずもって歌の上達など望めんね」

「うぬっ」

と面に朱を刷いても、この舌戦も負けだとわかってしまっていた。

「さて帰るぞ、諸兄」

「おう」

ぬっと立ち上がった諸兄が、ずかずかとこちらにやって来て、国経は蹴られでもするのかと身をすくめた。

だが諸兄は千寿丸の水干と袴を拾い上げただけで、国経には目も向けずに戻っていき、

「着なさい」

とやさしい声で千寿に言った。

「ご心配をおかけし、もうしわけございませぬ」

「ああ。どうか甘言に乗せられぬ分別を身につけてくれ」

「はい」

そのやり取りがなんだかひどくくやしくて、国経は言った。

「わたしは甘言など弄《ろう》しておらぬ。良房叔父上のお召しだとだましただけだっ」

「ぷっ」

と業平が吹いた。

「ハハハハ！」

と笑い出した。

「なにが可笑《おか》しいっ」

と気色ばんだが、自分がばかな白状をしたのはわかっていた。

「いやはや、そう可愛げたっぷりなところを見せられては、たまらぬね。少しばかり本気になってしまいそうだ」

などとうそぶいてきた業平を、

「お断わりですっ！」

と睨み返したが、顔が熱い。

「お帰りくださいっ、あの矢とその矢も拾って！」

「千寿、支度はよいか？」

「はい」

「では戻ろう。やれやれ、せっかくのたなばたの夜を棒に振ったぞ」

「相すみませぬ」

「そなたに埋め合わせをしてもらうかな」

と流し目した業平に、

「そ、それはっ」

と千寿丸はうろたえ、

「ならぬ！」

と諸兄が怒鳴った。

そうしたことか……と国経は思った。この三人、そうしたことか……

千寿を中に守るようにして三人が立ち去ったあと。

国経はしばらくぼんやりと床に転がっていた。

（いったいわたしは何をしたのだ……何がしたかったのだ……）

……千寿丸が欲しかった。あのくるくると元気よく、聡明で果敢で……純真で。何をするにも懸命な姿がさわやかな、あの美しい少年を、わがものに欲しかった。なつかれて、愛らしく甘えられたかった。慕わしげに「国経様」と呼ばれたかった……

「だが、いままで以上に嫌われたな」

つぶやいて、すうっと胸のあたりを風が吹いた心地がした。もの寂しさである寒い風だ。

「ふふ……ふははははは」

自分を笑って、ごろりとうつぶした。

もの寂しさがじわとにじみ出ようとする目をきつく閉じた。

恋だったのかもしれぬ……と思って、せつなさが増した。

権門の嫡男として早くからおとなびてふるまうのに慣れ、自分でもおとなのつもりでいたが、国経は、まだ十八歳だった。

七月は、大きな行事が二度ある月である。まずは七日のたなばた、そして十六・十七日の相撲《すまい》節会《せちえ》だ。

公式行事としては、じつは相撲節会のほうが重い。そもそも七日の節会は、古来は相撲のほうが中心だった。むろんただの力自慢の競技大会ではなく、力士がしこを踏み力比べをすることによる、一種の地鎮の神事である。

それが古来の定めから十日ほどあとへ動かされたのは、平城《へいぜい》天皇が七月七日に崩御《ほうぎょ》され、その日が国の忌《い》み日となったからだった。

ともあれ、たなばたとは比べ物にならない重要かつ大規模な節会ということで、帝《みかど》の最側近として連絡調整の中枢に立つハメになっている諸兄《もろえ》は、準備のために忙殺され、町屋《まちや》に戻ることには口もききたくないほどに疲れきっているような日々を過ごした。

だが何事も、始まりがあれば終わりがある。

明ければ十八日という深更。

諸兄は、万端遺漏なく節会を終えられた安堵《あんど》感と、明日からの三日間の心躍る計画を胸に、満月から少し欠けた月が照らす内裏《だいり》の中を蔵人《くろうど》所《どころ》町屋に向かっていた。

肌寒ささえ覚えさせる夜風の涼しさに、ふと（もうすっかり秋なのだなあ）と思って、歌の一首もひねってみたい感興が湧《わ》いた。

（うむ……そうだなあ、山荘での三日間はそんなふうに過ごしてみるのもよかろうなあ……）

などと考えながら、後涼殿《こうろうでん》の築地《ついじ》の角を行き過ぎようとして、

「む？」

と振り向いた。

「そこにいるのは誰か」

諸兄が見咎《みとが》めた人影は、月の光が落とす築地の影の中に隠れ込んでいて、すなわち衛士《えじ》ではないだろう。

「出てきて名を名乗れ！　それとも名乗れぬような者か？」

言った諸兄の手が、腰に佩《は》いた太刀《たち》の柄《つか》にかかっていたのは、このところうろんな者が蔵人所町屋の周囲をうろついているという噂を聞いていたからだ。

噂を耳にした瞬間、諸兄は（千寿《せんじゅ》を狙う者だ）と直感した。

国経《くにつね》はすっかり千寿をあきらめたようで、そちらの線は疑いにくいぶん、敵の正体は不明。そう考えて、町屋の出入りには気を張るようになっていたのだが、出会えたのならば、これ幸い。捕らえて誰のさしがねだかを詮議《せんぎ》して、二度と千寿を付け狙ったりできぬよう、きつい逆ねじをかけてやろう。

そんな気組みで、諸兄は影の中に隠れた人影を睨《にら》みつけた。

「出て来ぬならこちらからまいるぞ」

「あいや。出《い》でまいる」

答えた声は聞き覚えのない男の声で、恭順の意を示すためか小腰を屈《かが》めた格好でぬっと踏み出してきたのは、地下《じげ》の者らしい水干《すいかん》姿。

「六位蔵人、藤原《ふじわら》諸兄様とお見受けいたしました」

なんと、そうこちらを言い当ててから、四十がらみの年配とおぼしい男は、折れ烏帽子《えぼし》をかぶった頭を深々と下げて見せた。

「ふむ。たしかに俺は藤原諸兄だが、何者だ？」

「山城《やましろ》の以蔵《いぞう》……と申し上げまして、おわかりになりましょうか」

男は言い、諸兄は「あ～ァ」と得心して緊張を解いた。

「千寿が世話になったという、傀儡《くぐつ》の者だな。このような深夜にいかがした。千寿に何か火急の用でも？」

「いいえ。用は済みまして、宿に帰るところでございました」

「塀乗り越えてか？」

と返したのは、何を意図したわけでもない軽口だったのだが、男はニヤリと笑い、その顔つきのおかげで諸兄は、この邂逅《かいこう》の不自然さに思い至った。

「何者だ？」

と改めて眉《まゆ》をひそめ、

「まさか千寿を狙う刺客《しかく》ではあるまいな」

と質《ただ》したのは、もしも男が刺客であったなら、たいそう間抜けな質問である。

「滅相もない」

男は迷惑そうに言い、それから可笑《おか》しげにニマッと笑ってつけくわえた。

「盗賊じゃと正体言うてやってあったに、銭を預けられて買い物を頼まれ、ばか正直に市《いち》まで行ってきてやった抜け作でござるよ」

「ほう……」

諸兄は太刀の柄から手を放し、考え迷う時の癖で首筋をなでながら聞き確かめた。

「銭を預けてウンヌンというのは、千寿のしたことだな?」

「さようで」

「頼まれ事を果たしてくれたおかげで、こうして会うたわけか」

「ちと日数を食うてしまいましたがな」

「では今夜は盗みはしていないか?」

「ああ。手はきれいでござる」

「ならば、この場で『盗賊じゃ』と騒ぐのはやめておこう」

「ありがたき幸せ」

言った男は次の瞬間、飛鳥のごとく宙に身を躍らせ、背にしていた築地の屋根の上にひらりと立った。

「いまひとつ頼みがあるのでござるが、よいかな、蔵人の殿《との》」

「願いによるな」

よくあんなに跳べるものだと感心しながら返答した。

「千寿丸殿から、軽業《かるわざ》の稽古《けいこ》相手を頼まれたによって、しばらく出入りをお許しあれ」

「ほう?　あれはまた何を思いついたのだ?」

「東宮《とうぐう》の御覧に入れるのだそうじゃ」

「ふむ……」

諸兄は考え込んだ。千寿が東宮のお召しを受けて西雅院《さいがいん》に行ったことは知っている。軽業を見たいと言われて、舞いでも見せるようなつもりでその気になったのだろう。

だが、舞いは貴族のたしなみでもあるが、軽業というのは卑しい芸人たちの技だ。それを千寿がやって見せるというのは……

「すまぬが、その儀は考え直させる。東宮が軽業を御覧になりたいと仰《おお》せられるなら、傀儡の一座を招いて御覧に供するよう手配しよう。

おまえは座持ちか？　なれば話が早いが」

山城の以蔵はニッと白い歯を剥《む》いた。

「わしの一座はみな手癖が悪いゆえ、遠慮をしておきましょうわえ」

それから、

「いま京にいる連中で申すなら、『摂津《せっつ》の百千代《ももちよ》』の一座がよかろうと存ずる。座がしらは正直で気のいい男じゃし、抱えの者たちは皆若くて元気も腕もいい。六条西堀川小路《ろくじょうにしほりかわこじ》の傀儡宿に使いをやれば、すぐにも推参つかまつりましょう」

などと親切に教えてくれて、

「これにて御免」

と姿を消した。

「ああ、世話になったな」

と言い送って、諸兄は「やれやれ」と首を振った。

「東宮殿下に軽業をお見せする、か。やれやれ……」

自分の身の上を知らぬ千寿には、身分にふさわしくないふるまいだといった忠告は言いたくとも言えず、こうしたことは今後いくらも起きてきそうだ。

「まあ、好きにさせておくほか、しようのないことかもしれぬがなあ」

もしも東宮に千寿を貶《おとし》めるような意地悪い気持ちがあるなら別だが、あの無邪気なお方のことだ、たんに千寿の身軽さに感心して「もっと技を見たい」といったような仰せをなさったのだろう。

「やれやれ……」

頭をかきかき、蔵人所町屋に戻った諸兄は、上がり口にひかえていた千寿に迎えられた。

「お帰りなされませ」

「おう、まだ起きていたのか」

「お疲れになられましたでしょう。よきものをご用意してございます」

「ほう？　何かな」

千寿が言った「よきもの」とは、甘い香りを立てるアマチャヅルの煎《せん》じ湯だった。

「おう、久しぶりに口にする」

「やっと手に入りました」

「ん？　以蔵が頼まれたと申したのは、これか？」

「ああ、やはりお会いでござりましたか」

「うむ、そこで会うた。次からは昼のうちに来るよう言うておきなさい」

「もうしわけござりませぬ」

甘く温かい煎じ湯をゆっくりと一椀喫してから、束帯《そくたい》を解き、重々しい冠も脱いでくつろいだ。

「もう一杯もらおうか」

「はい」

「そなたも飲むがよい」

「ありがとう存じまする」

千寿とともにすする二杯目のアマチャヅル湯を楽しみながら、諸兄は、

「俺も『よきこと』を持ち帰ったぞ」

と告げてやった。

「何でございましょう？」

と水を向けてきた千寿の、久しぶりにゆっくりと見る気がする美貌《びぼう》を愛《め》で楽しみながら、諸兄は宝物を見せる心持ちで言った。

「明日から三日間、双《ならび》ヶ岡《おか》の山荘に行く」

「それは……」

千寿はぽおォとうれしそうな顔になった。

「疲れ休めの暇《いとま》をちょうだいした。主上《おかみ》からの仰せ出しでな」

「では……？」

と、膝《ひざ》を乗り出してきそうな顔で諸兄を見つめてきた。

「まさか、そなたは行かぬとは言わぬだろうな」

と返してやった。

「そのようなことは！」

と子どもっぽく叫び、

「申しませぬ」

と大人びてはにかんだ千寿は、いとも愛らしく艶《なま》めかしく、諸兄は色心がむくりと頭をもたげるのを覚えた。

「もしも殿下からのお召しが来ているのなら、お断わりの文《ふみ》を書いてもらわねばならんぞ」

「いえっ、お召しはいただいてはおりませぬ」

「では朝を待たずに出かけてもだいじょうぶだな」

「はい。ですが諸兄様には、もう幾日も充分にはお寝《やす》みになられておりませぬ。今夜はゆっくりお寝《よ》られて、明日の朝お出かけなさるのがよいと存じまする」

「そうさな……あちらにも明日行くように申してあった。急に早めては支度が届かぬかもしれぬ。うむ、出立《しゅったつ》は明日にしよう」

「はい」

「では、寝るとしようか」

そう言って手を引けば、千寿はうれしそうに目元を赤らめながらも、

「今宵《こよい》は早うお休みになられたほうが」

などと言い逆らった。

「俺はそんなに疲れた顔をしているか？」

「いまはそうでもございませぬが、夕刻ごろは……」

「ふむ、豊楽殿《ぶらくでん》の宴に行く前に会った時か？」

「いまにもお倒れになるのではないかと胸が詰まりました」

「式部卿《しきぶきょう》の差配が下手で、だいぶよけいな手間を食うたからな」

そうこうやり取りをしながら、そうするのを嫌がっているわけではない千寿の水干の緒を解き、袴《はかま》の緒を解いて、寝床の上に引き込んだ。

「さあ、捕まえたぞ」

とのしかかって口を吸ってやると、千寿は目を閉じて身をすり寄せてきた。触れた股間《こかん》はすでに熱くしている。

「なんだ、そなたもしたかったのではないか」

愛らしい耳を甘咬《あまが》みしながらからかってやった。

「そのように仰せられては恥じ入りまする」

と背を向けて逃げようとしたので、

「何を恥じ入ることがある」

と肩腰抱いて捕まえ直した。

「ああ……ここをこうするのは幾日ぶりか……」

「あっ、お待ちを、あっ、あっ」

「待たぬ、待てぬ、すぐにもここに、このようにいたしたい」

耳にささやきを吹き込みながら、襞《ひだ》はやわらぎながらもきつい締まりの菊の座に、馴《な》らしの指をぬくと押し入れ、始めはぬぷぬぷと小刻みに、それからぬくりぬくりと大きく抜き挿ししてやると、千寿は快《よ》さげにアッアッと息を喘《あえ》がせた。

「どうだ、快いか？」

「そ、そのようなことっ」

「快くはないのか？」

「お、お言わせにならないでくださりませっ」

「何がそのように恥ずかしいのか。愛らしく『よい』と言うてくれ」

「そ、そのようなはしたなきこと、も、申せませぬ」

「ふふ……それをどのような顔で申しておるのか……明日はじっくり見てやろうぞ」

「ど……どういうことでござりましょうか？」

「明日になればわかる」

几帳《きちょう》越しの薄明かりのみが頼りの暗がりの中では、よがる様子もすすり泣く顔もおぼろにしか見て取れない。山荘ではぜひそのあたりも楽しみたいと、諸兄は心に決めていた。


翌朝は千寿も存分に寝坊をさせていただいて、辰《たつ》の刻の鐘でやっと目が覚めた。

諸兄様はお出かけの支度に、母上様から届いていた新調の直衣《のうし》をお召しになったが、表は秘《ひ》色《そく》、裏は淡青の『小栗《こぐり》色』の重ねの直衣は、すっきりと背の高いお姿によくお似合いで、千寿はひそかに得意に思った。

「馬で行こうな」

「はい」

「野駆けをするか？」

「はいっ！」

「ではいったん山荘にまいって、狩衣《かりぎぬ》に着替えてから出かけよう」

「はいっ」

ところが町屋を出ようとしたところで、春宮坊《とうぐうぼう》の舎人《とねり》に出会った。

「どこぞへお出かけか？」

「はあ、ちと」

「東宮殿下が千寿丸をお召しじゃ。そちらは急がれるご用事か？」

諸兄様は（うっ）と思われているようすで千寿に目をやってこられたが、

「……いえ」

とお答えになられた。こちらは私用、お召しには逆らえない。

東宮殿下のお住まいの西雅院は、春華門《しゅんかもん》から出てすぐの、内裏の東隣りにある。

諸兄様は千寿を西雅院の門の前まで送ってくださった。

「俺はこのあたりでぶらぶらしていよう」

とおっしゃられたが、舎人が気をきかせて門の中まで請じ入れてくだされた。

……よく考えると、蔵人の諸兄様が小舎人《こどねり》童《わらわ》の千寿の供あつかいというのは変なのだが。

御殿の上がり口でお待ちし、殿下の近侍《きんじ》である春宮坊蔵人の橘《たちばなの》岳見《たけみ》様のご案内で昇殿した。

「おや？　あの背の高いご仁は、主上の蔵人殿とお見受けするが」

「はい、藤原諸兄様でござりまする」

「公務でのおいでではないようだが？」

「はい、あの……双ヶ岡のご別邸にお出かけあそばされるご予定で、わたくしがお供を務めるのでござりまするが、お召しをいただきましたので……」

「諸兄殿のほうが、供のそなたを待つ、と？」

そう不審がられてみれば、なるほど常識的には話が逆である。

自分と諸兄様とは、ふつうの主と家人《けにん》の関係とは少し違う、二世を誓った間柄であると打ち明けてしまえば、岳見様のご不審は晴れるだろうが、そうしたことを表沙汰《おもてざた》に言っていいのかどうか。

「あの、つまり、諸兄様はわたくしを供に野駆けをなさいますのがお好きでござりまして」

苦しい言いわけを試みた千寿に、岳見様は、

「殿下がお待ちだ」

と先に立たれ、諸兄様のことは捨て置く格好になるらしかった。

これで三度目の訪れになる東宮殿下の昼の御座所に案内され、上段の間にそば近いいつもの場所に座をいただいた。

御年二十二歳の殿下は、呪詛《じゅそ》の病のせいで夏じゅう伏せっておられたそうだが、いまはすっかりお元気そうで、独特のおっとりとしたお口ぶりでよくおしゃべりになる。

ご案内くだされた岳見様が、殿下に何事か耳打ちされ、「ほう」とうなずかれた殿下が、可笑しげに頬をゆるめられながら千寿に尋ねられた。

「諸兄がそなたの供で来ているのだって？」

「あ、いえ、その……ご同道くださりまして」

「美しいそなたが誰ぞに攫《さら》われでもしないかと、心配をしているのかな？」

「いえ。じつはわたくしがお供をいたして、双ヶ岡のご別邸までお出かけになろうとされていたところでございまして」

「では私は、そなたらが出かけるじゃまをしてしまったのか」

東宮殿下はもうしわけなさそうにおっしゃり、千寿はけっしてそのようなことではないと申し上げた。

「せっかく来ているのなら、諸兄にも話に入ってもらうのはどうだろう」

千寿はちょっと困りながらお答えした。

「お言葉ではございまするが、諸兄様は私用のお出かけのおつもりで、直衣をお召しでございまして」

「ああ、昇殿には束帯でなければいかぬのではないか、と？　岳見、どうだろうか」

「はあ」

「千寿はいつも水干姿だし、内々に会うのだからかまわないのではないかと思うが？」

「殿下がお許しになられますのなら、問題はなかろうと存じまする」

痩《や》せた仁王尊といった謹厳な顔つきをなされた四十がらみの岳見様は、殿下の信任厚い助言役といったところで、殿下はこまごましたことでも岳見様の意見をお聞きになる。

「では諸兄もここへ呼んでくれ。今日は三人で話をしよう」

「かしこまりました」

岳見様が立っていかれるのを待っておられたように、殿下は上段の間の端ぎわに座を移しておいでになって、ヒソヒソとおっしゃった。

「そなたと諸兄のことなのだけれどね。このあいだ諸兄は、自分をそなたの後見人だと言っていたけれど」

「はい」

「内侍《ないし》たちは、諸兄はそなたの『好い人』ではないかと言うのだよ」

千寿はぱっと赤くなってしまった顔を伏せ、殿下は興味深げなお声で「ふうん」と仰せられた。

「内侍たちが言うには、『好い人』というのは房事《ぼうじ》をともにする仲だということだけれど、そうなの？」

千寿は困って耳まで赤くなり、殿下はまた「ふうん」とおっしゃられた。

「私も妻たちとのあいだに子を二人なしている身だが、陰陽を結合するのではない房事というのは、どうにも想像がつかない」

「さ、さようでございまするか」

蚊の鳴くように答えた千寿は、（どうかコトを説明しろなどと仰せになりませぬように）と必死の思いで祈っていた。どこに何をどうするのか、などとお尋ねになられても、恥ずかしくてとても申し上げられない。

そして東宮殿下は、

「少なくとも子はできないと思うのだけれど」

と仰せられ、

「子どもというのは可愛《かわい》いね」

と話題をお変えになった。

「皇子《みこ》たちは五つと四つなのだけれど、どちらも私には似ないでくれて、とても元気がよくてね。あれたちと遊ぶと疲れてしまうのだけれど、可愛いので毎日つれてきてもらうのだ」

「おやさしいお父君のお袖《そで》の中は、皇子様方の大好きな場所であられましょう」

殿下がお子たちと遊ばれるさまをほほえましく思い浮かべながら申し上げたら、殿下はすっとお顔色を曇らせた。

「ああ、これはよくない話を持ち出してしまった」

孤児の身である千寿の気持ちを思い遣ってくだされたのだ。

「わたくしも、とと様のお膝の上が大好きでございました」

千寿は申し上げて、つけくわえた。

「育ての親ではございまするが、とと様はわたくしを『千』と呼ばれて、ほんに可愛がってくだされました。ですからわたくしは六つの歳になるまで、自分がとと様やかか様の実の子ではないとは、まるで気づかずにおりました」

「それでは、寺にやられた時にはたいそう悲しかったであろう」

痛々しげなお顔をなされた殿下のおために、千寿は小さな嘘をついた。

「驚きはいたしましたが、さほど悲しゅうはございませんでした。慈円阿闍梨《じえんあじゃり》様はそれまでに何度か足をお運びくだされ、わたくしは阿闍梨様をじじ様のように思うてなついておりましたので」

「そう……千寿はよい縁に恵まれてきたのだね」

「はい」

そこへ諸兄様が案内されてきて、殿下はおそばへお召しになった。

「このような軽いなりにて拝謁《はいえつ》を得まして、まことに恐縮至極でございます」

と、四角四面に平伏された諸兄様に、殿下は春風駘蕩《しゅんぷうたいとう》といった風情の笑みをお見せになり、おっとりと仰せられた。

「なに、私がわがままを言うたのだ。千寿と出かけるところだったそうですね」

「おそれ入ります」

「双ヶ岡というと、清原右大臣《きよはらのうだいじん》の別荘があったところではないか?」

「はい。いまだ六位の身で僭越《せんえつ》ながら、その中の山荘を一つ手に入れまして、別宅とさせていただいております」

「あのあたりは美しいところだと聞いているが」

「すぐ前を川が流れておりまして、夏には蛍《ほたる》が群れ飛びます。春や秋冬の風情もよろしかろうと存じます」

「なるほど、主上が言われるとおり、たいそう堅苦しい」

殿下はそうお笑いになり、

「手を上げてくつろいでくれたほうが、私は話しやすいのだが」

と注文をおつけになった。

諸兄様は「御意《ぎょい》」と答えられて、少しあわてたふうに「かしこまりました」と言い直され、低頭されていた体を起こされた。

「野駆けをするのだと千寿が言うたが、それは野行幸のようなことか?」

殿下が話を戻され、諸兄様がお答えになった。

「野行幸では鷹《たか》狩りが催されますが、野駆けと申しますのは、ただ馬で野を行く遊びでございます」

「野駆けと言うなら、走馬《はしりうま》のようにするのだろうか?」

「馬は走らせもいたしますし、歩ませもいたします。気ままに馬で行く野遊びでございます」

「面白そうだね」

殿下はうらやましそうにおっしゃった。

「私は幼いころから病がちだもので、野行幸にも出たことがない。主上のお許しは出ていたのに、当日になって風邪をひいてしまったりしてね」

「それは……」

と諸兄様はお返事をにごされ、話がみょうなふうに途切れそうになったので、千寿は口をはさませていただいた。

「秋のいまごろですとか、春の気候のよいころでしたら、お出ましによろしかろうと存じます。暑くもなく寒くもなく、日ざしも風もやわらかで、野も美しゅうございますれば」

「行ってみたいものだなあ」

と殿下は目を細められ、小さく笑ってお続けになった。

「だがこの歳になっても主上にご心配をおかけしている体では、なかなか野遊びなどには行かれない。残念なことだけれどね」

「いまは病も癒《い》えられてお元気なのですから、お気晴らしにお出かけなさればよろしゅうござりまするに」

千寿は言い、「これ」と諸兄様にたしなめられた。

「重いご身分であらせられる東宮殿下が行幸なされるには、それなりのお支度が必要で、軽々しゅうはなされぬことなのだ」

「そうではござりましょうが、わたくしは、殿下にも野駆けの気持ちよさを味おうていただきとうござりまする」

千寿が言いつのったのは、そうしたふうに思ったことは口に出したほうが殿下のお心に添うからだったが、諸兄様はあわてたお顔をなされた。

「それはむろん、むろん殿下にも野行幸をお楽しみいただきたいとは、ああ、いや、つまり」

クスクスと殿下が笑い出され、諸兄様は進退に窮したふうに真っ赤になられた。

「諸兄は私と親しくするのは初めてだから、ここでのやり方がわからないのも無理はない」

殿下はそんなふうに前置きされて、千寿もうかがったご説明をおっしゃった。

「私はいろいろ障《さわ》りの多い人間なので、せめて耳と口だけには勝手気ままを楽しませたいと思うている。だから話し相手に招いた者には、私が東宮であることは忘れて対してくれるよう頼むことにしているし、私も東宮であることは忘れて、ただのしゃべり好きとしてよもやまの語らいを楽しむ。

そうした私の好みを、業平《なりひら》や千寿はするりと呑み込んでくれたが、諸兄はどうか？」

諸兄様はいかにも自信なさげに、

「……努めまする」

とお答えになり、殿下はまたクスクスとお笑いになられた。

「岳見も堅い男だが、内裏のみならずこの春宮坊の内侍たちにまで『まじめ一方の朴念仁《ぼくねんじん》』との評判が行き渡っている諸兄の堅さは、噂どおり一際のものであるようだね。

そのような諸兄が、どうしたことで千寿の『好い人』になったのか。思えばいたく不思議であるし、不思議はないとも思える。

人というのは、わかるようでわからず、わからぬながらもわかる気がする、なんとも面白いものだねえ」

「……はい」

という諸兄様のお返事は、言えば数万語の弁述になろう万感を含んで殿下のお気持ちを受け止めるもので、殿下はうれしそうにほほえまれた。

「業平の軽妙洒脱《しゃだつ》な話術も楽しいが、諸兄の誠実な無口さもよい。千寿はつくづく人との縁に強運よなあ」

「はい」

とお答えして、千寿は申し上げた。

「殿下とお会いできましたのも、うれしいご縁でござります る」

「私はそなたがうらやましい。ことに、そなたの元気さがね」

「おそれながら、物事はすべて『過ぎたるはなお至らざるがごとし』でございます」

諸兄様が思いがけず口をはさんでこられて、言い継がれた。

「千寿丸は元気が過ぎまして、小官は心休まる時がございませぬ」

「それは、つらかろう」

殿下は少し驚かれながらも面白がっておられるふうにおっしゃり、

「まことにもって」

と、諸兄様はまじめくさったお返事をなさった。

「ハッハッハッハ。業平といい諸兄といい、主上はよき側近を得ておられるな」

ほがらかに仰せられて、殿下はまだ笑い顔のまま、千寿にお目を向けてこられた。

「野駆けの途中で桔梗《ききょう》を見かけたら、一本《ひともと》持ち帰ってもらえまいか。私の庭の女郎花《おみなえし》と取り替えよう」

「かしこまりました」

と千寿はうけたまわった。

「さてさて、引き止めてすまなかったな」

「お話しさせていただきまして楽しゅうございました」

「野辺でも楽しゅう過ごしておいで」

「ありがとう存じまする」

「諸兄も、また話に来てくれるとうれしい」

「お召しいただけば、いつなりと参上いたします」

西雅院を出ると、諸兄様は大きくホウッと息をついて、ぼやく口調でおっしゃった。

「やれ、身が縮んだぞ」

「それほどご緊張なされましたか?」

「いや、岳見殿がさんざん睨んでおられたのでな」

「気づきませせなんだ」

「睨まれたのは俺だからな」

「もとからああしたお顔だちのお方でございますするが」

と申し上げたら、

「それと目つきとは違う。あれはたしかに俺を睨んでいた」

と返してこられた。

「どうしたことでございましょうか」

千寿は眉をひそめて首をかしげ、諸兄様は苦笑なされておっしゃった。

「俺が東宮殿下に取り入って、あちらの蔵人に座ろうとしているとでも思われたのだろう」

「諸兄様は帝にお仕えでございますのに?」

「主上には、そろそろご譲位なされたいお気持ちがおありのようだからな。つぎの春か、そのつぎの春には、そうしたことになるやもしれぬ」

「その時には諸兄様は殿下にお仕えになられますので？」

「それは俺が決めることではないし、来年の叙任では俺はべつのお役に就くことになろう。蔵人職は五年までと決まっているからな」

「では、春宮坊蔵人にお移りになられるかもしれぬのですね？」

「岳見殿はそう考えて警戒していたようだが」

「ご自分のお役を取られるのではないかと？」

「誰がどうした役に就くかは、上《うえ》つ方《かた》が決めることだ」

諸兄様はおっしゃり、「それにしても」と小さくつぶやかれた。

「桔梗を一本と仰せられたあれは、何かの謎掛けであったのだろうか」

「は？」

「いや、お庭の女郎花と取り替えようと仰せになられただろう？　だが野には女郎花も咲いていようから、ただの花の話ではなかったのではないかと思うてな」

「そうなのですか？」

「わからん。そんな気がしただけだ」

左《さ》馬寮《まりよう》の廏《うまや》に行こうと修明門《しゆめいもん》を出たところで、業平様にお会いした。

国経様がご一緒だったので、千寿はどきりとしながら目を伏せた。あれ以来、国経様は千寿への手出しはぴたりとおやめくださり、千寿もあの夜の事件は過ぎたことだと思っているが、怖い思いをさせられたわだかまりが消え去っているわけではない。

「めかし込んで、どこに行くのだ?」

業平様のほうから声をかけてこられて、諸兄様が「野駆けやら、な」とお答えになられた。

「双ヶ岡の山荘か?」

「まあ、そうしたことだ」

「うらやましいことだ。俺たちは舞いの稽古で顎《あご》を出そうというに」

業平様が笑いながらぼやいておみせになり、国経様はつんと横を向かれた。なにやら拗《す》ねている子どものようなしぐさだった。

「そうか、『納曾利《なそり》』の稽古か。めずらしい組み合わせと思うたが」

諸兄様が、腹の中のわだかまりを透き見せるお顔つきでおっしゃられ、

「あいにくなことに」

と返してこられたのは国経様。

千寿は(強がっておられる)と思って、笑いたくなった。

あの夜のことは忘れたような取り澄ました顔をされているが、国経様にもそれなりにお感じのところがあるのだ。

「稽古を見に来るか?」

と業平様が誘ってくださったが、諸兄様はその気はなさそうなごようすだったので、

「またいずれかの折に拝見させていただきまする」

とお断わりした。

業平様は苦笑されて、

「おやおや、逃げられてしまったね、国経殿」

とからかいをおっしゃり、国経様はカッと赤くされたひたいに青筋を見せて、

「師匠が待っておりますぞ、左近将監《さこんしょうげん》殿！」

と咬《か》みついた。

「こうしたことだ、諸兄。おぬしはせいぜい羽を伸ばしてこい」

「う、うむ。それはむろんだが」

「千寿、諸兄を頼むぞ。よう仕えてやってくれよ」

「は、はい」

「では国経殿、まいろうか」

にこりと笑っておっしゃった業平様に、国経様はフンと顔をそむけて、

「次からは舞殿でお会いすることにいたすっ」

と答えられ、先に立って歩き出された。

「はは、そうつれないことを申されるな」

苦笑いなされながら業平様が追って行かれ、千寿は首をかしげた。

「いつの間に、あのように仲良うなられたのでござりましょうか」

「あれが仲良う見えたか」

諸兄様はしぶいお顔でおっしゃって、独り言のようにお続けになった。

「『納曾利』の稽古は取りやめにはできぬだろうが、あのようにチクチクといたぶりをかけて国経に窮鼠猫《きゅうそ》を咬むの開き直りをさせたりしたら、厄介なことになるだろうになあ」

ああ、そうなのかと思いながら、千寿は言った。

「なれば業平様は、国経様をおからかいになっているというわけでござりますね？」

「うむ、そういうことだろう」

「よかった」

千寿はホッとなってつぶやき、諸兄様は眉をひそめられた。

「よかった、とは……？」

「え？　ですから、業平様が国経様と仲良うなられたのではなくて、よかった、と」

「なぜそこで『よかった』と思う？」

「は？　諸兄様は思われませぬか？」

「俺のことはどうでもよい。俺は自分で、そなただけが好きだとわかっているからな」

話がずれておりまするとと思いながら、

「わたくしも諸兄様だけが好きでござりまするよ？」

とお返しして、諸兄様のお心に察しがついた。

「僭越ながらわたくしには、業平様は兄様のように思えるのでございまする」

と申し上げた。

「兄……とな」

「はい。業平様も、そう思うてよいとお許しくだされました。業平様は弓やお馬がお上手な、千寿の自慢の兄様で、大好きな兄様でございまする」

諸兄様はぎょっとお顔をこわばらせたが、ちゃんと聞き分けてくだされてはいた。

「そ、そうか。兄ならば『好き』と思うのは自然であるな。自慢の兄と申すなら、『大好き』ということにもなろう、うむうむ」

「はい、兄のように好きなお方でござりまする」

千寿はそう念押しをたたみかけておいて、話を進めた。

「ですから業平様が、国経様と仲良うなられたわけではないとわかって、ホッといたしました。わたくしのような者が申すことではござりませぬが、国経様のような裏表のある方は、業平様のご友人にはふさわしゅうないと存じまする。千寿は、いやでござりまする」

その時、千寿がふと思っていたのは、諸兄様には秘密のあの夜のこと……もしも業平様が、国経様にああしたことをなさったりするなら（いやじゃな）といったふうな思い方だったのだが、おかげでよけいなことまでよみがえってしまった。

思い出してしまえば恥ずかしく後ろめたく、諸兄様のお顔が見られぬ心地になってしまって、(困るぞ）と焦った。

(つまらぬことを思い出してしもうた。困るぞ、困る……ああっ、どうか諸兄様がお気づきにならぬようにっ)

「まあ、業平殿のことは業平殿に任せておこう」

諸兄様がおっしゃり、「行こうぞ」と歩き出された。

「はいっ」

と急いで追いかけた。

左馬寮の廏では、久しぶりに主の前に曳《ひ》き出された諸兄様の二頭の愛馬は、どちらも（われこそが主様をお乗せするのじゃ）といったふうに奮い立ち、こもごもにいななき合った。

「よーしよし『霧島《きりしま》』、どうどうどう。うむうむ、『淡路《あわじ》』も美しいぞ、よーしよし」

諸兄様は体の大きい『霧島』にお乗りになり、『淡路』には千寿がまたがったが、なにやら警戒する顔をされたのは、以前ひどく走らせた時のことを馬なりに覚えているためだろうか。

「今日は諸兄様がご一緒じゃから、危ないことはない。追われて逃げるなどという目には遭わせぬゆえ、そのように恨めしげな顔をするな」

首をたたいて言ってやっていたら、『霧島』の背の上から諸兄様がお口を添えてくださった。

「そう言えばあれ以来、馬乗りいたす折もなく、まだ『淡路』を褒《ほ》めてやっていなかったな。あの時はよう逃げきった。千寿を守り抜いてくれたおまえの走り、褒めてとらすぞ」

お言葉と一緒に頭をなでていただいて、『淡路』はブルルとうれしげに鼻を鳴らした。

山荘がある双ヶ岡は、馬ならばほんの一駆けで行ける近場の郊外だが、京の西の端をかぎる西京極大路《にしきょうごくおおじ》を越えた先は風景が一変して、鄙《ひな》びた野辺の道になる。

「おう、あれに一群れ萩《はぎ》が咲いておるな」

「あそこには女郎花が」

「ススキもだいぶ穂が伸びた。すっかり秋の野よなあ」

「はい。空があのように高うござりまする」

川べりに出ると、真っ赤な曼珠沙華《まんじゅしゃげ》が群れ咲いていた。

春や夏とはまるで風情が違うが、秋は秋で、また花の季節であるのだ。

山荘に着くと、諸兄様は直衣を狩衣にお替えになり、二人は改めて野駆けに出かけた。

「嵯峨《さが》の離宮あたりまで行ってみるか?」

「そこは如意輪寺より先でござりまするか?」

「いや、あれよりはだいぶ手前だな。冬には野行幸がおこなわれていたが、ここ数年はお沙汰がない。主上はあまり鷹狩りは好まれぬのだ」

「東宮殿下は野遊びをなさりたがっておられましたが、やはりご無理なのでしょうか」

「う〜む……むずかしいだろうな。主上は殿下のことについては、まるで体の弱い赤子と思われているようなご心配ぶりをなさる。このあいだの神泉苑《しんせんえん》への行幸の時も、輿《こし》の揺れのせいでおかげんを悪くなされまいかと、それはそれは気遣われてなあ」

「もしも千寿が殿下のお立場でしたら、さぞや気鬱《きうつ》な思いがいたしますでしょう」

「そうさなあ、なんぞのお気晴らしがあればよいと思うが。そなたをしげくお召しになるのも、そうしたことなのよなあ」

「そう申せば、市《いち》にまいりましてはいけませぬか？」

「なにか欲しい物があるのか？」

「そうではございませぬが。じつは東宮殿下から『市とはどのようなものか』とのお尋ねをいただいたのですが、わたくしが存じておりまするのは如意輪寺の門前市で、以蔵殿から聞きました京の市は、あれとはずいぶんようすが違うようなのでございまする。それで、一度見に行ってみたいものだと思うておるのでございまするが」

「下賤《げせん》の者たちが集まる場所ゆえ、俺もまだ行ったことはないが。では、明日にでも行ってみるか？」

「よいのでございまするか!?」

「放っておけば、そなたは一人で出かけそうだからな。ともに出かけたほうが安心だ」

「千寿は、諸兄様が『ならぬ』とおっしゃいますことはいたしませぬ」

ぷうとふくれてみせた千寿に、諸兄様は苦笑なされておっしゃった。

「そうよな、そなたはいつも俺が思いもつかぬことをいたすゆえ、『ならぬ』と言う暇もない。走馬は危ないからならぬと言うておけば、走馬よりもっと危ない競馬《きそいうま》をいたしおる」

「あ、あのことは！　お叱《しか》りをいただきまして懲《こ》りました。二度とあのようなことはいたしませぬっ」

千寿は本気で気色《けしき》ばみ、諸兄様はまた苦笑されて、しみじみとした調子で仰せになった。

「だが、業平殿との競馬を経験しておったおかげで、騎馬の武者に追われたあの時に、逃げおおせたのだと思えば、そなたのむちゃは叱ってはならぬものなのかもしれぬ。叱るどころか、馬や弓や太刀の技を身につけさせるよう、師を選んで学ばせるべきかもしれぬ」

千寿はびっくりして諸兄様を見やった。

「では諸兄様も、わたくしに武者になれと？」

「ん？　俺も、とは？　誰ぞにそのようなことを言われたのか？」

「帝でござりまする」

千寿は答え、諸兄様は「なんと？」と眉根を引き寄せられた。

「主上がそのように仰せになられたのか？」

「いえ、仰せにはなりませなんだが。千寿に太刀をくだされましたのは、そうした意味ではござりますまいか？」

なぜご褒美が太刀だったのか、千寿なりに考えてみたのだ。

寺で育った千寿には武の道は縁がなく、業平様の凜々《りり》しい武人ぶりには心魅かれるが、自分がそうなることは考えていなかった。

それが思いがけず太刀などちょうだいしてしまって、おおいに戸惑ったと同時に、諸兄様は武張《ぶば》ったことがお好きではないのを承知しているから、(困ったいただき物をしてしまったものじゃ)と、ずっと頭を痛めていたのだ。

諸兄様に内緒で業平様との競馬をやり、その現場を見つかって、諸兄様がカンカンにお怒りになった時。

諸兄様は、業平様に「俺の千寿を武者などにさせる気か!」と食ってかかられた。武者というのは「蝦夷《えみし》の反乱でも起きれば、討伐に行くことになるかもしれぬ」危険なお役ゆえ、「俺の大事な千寿にはさせられぬ」と剣幕も荒く吐き捨てられた。

そのお考えが、いまは変わられたのだろうか? それならば、帝のご意志と諸兄様のお考えは反するわけではないことになり、一安心なのだが。

「ああ、あのことか」

諸兄様はぎゅっとしかめておられた眉をゆるめて、そうお笑いになった。

「あの太刀は、カガチ相手のそなたの勇ましい働きに対する褒美という意味で、べつだん武者になれということではない。

それに馬や弓や太刀の技を学ぶのは、臣としての心得の一つだ。何か事あった時に、帝の御為に弓も取れぬようなざまではいかぬからな。俺とて一通りは稽古している」

「なればわたくしも、弓矢の道や太刀の技を学びとうござりまする」

千寿はわくわくし始めながら申し上げた。

諸兄様のお考えに逆らってまで武人になりたいとは思わないから、帝の思《おぼ》し召《め》しと諸兄様のそれとが食い違っているならたいへん困ると考えていたのだが、そうではないなら弓も太刀も稽古してみたい。

「そうさな……では業平殿に頼んで、誰か師匠を見つくろうてもらうか」

「はいっ！」

千寿は勇躍する思いでうなずいた。

道々二人で駆け競ったりしながら嵯峨野を行き、大沢池《おおさわのいけ》のほとりの丘の上に登った。

「少し休もう」

という仰せに馬を下り、並んで座った丘の上から広壮な嵯峨離宮を眺めながら、この地を愛されて地名が諱《いみな》となられた嵯峨の帝の話をお聞きした。

「ご在位あられたのは大同《だいどう》四年から弘仁《こうにん》十四年までの十四年間で、御歳三十七のみぎりに譲位あらせられ、以後は上皇として、御弟君であられた淳和《じゅんな》帝と皇子であられる今上《きんじょう》の主上との、二代の帝の後見をお務めになられたが、とにかく英邁《えいまい》なお方であられたよ」

諸兄様はそんなふうにお話しくださった。

「蔵人所も検非違使《けびいし》庁《のちょう》も、嵯峨帝が新たに設けられた制だ。帝の威光が宮中にもしもじもにもよく届くように、この二つの令外官《りょうげのかん》を置かれた。発想の鋭い御方だったのだなあ。

俺が宮中に上がったのは十八の時、七年前のことで、上皇とじかにお目もじするような機会はなかったが、節会《せちえ》の宴などで歌を詠《よ》まれたお声などを何度か拝聴した。朗々とした深みのあるよいお声をなされていてな、俺のような末席の者たちも聴き惚《ほ》れたものだ。

詩文にすぐれ、書も三筆のお一人に数えられ、鷹狩りをようなされた。豪放闊達《かったつ》なご気性だったが、お若いころにはいささか気の短いところがおありになり、時に蔵人を怒鳴りつけられるようなこともあられたそうだが、そのお声は天をどよもす雷鳴のごとくで、みな頭を抱えて恐れ入ったという話だ」

諸兄様はそうしたことどもをなつかしそうなお顔で語られ、千寿は嵯峨の帝という御名に何がなしの親しみを持ったのだった。

たとえ自分の血縁の父祖であっても、名しか知らない人物は何の感興も呼ばないが、そこに生前の逸話などが添えられると、顔も知らない相手がそれなりの人格を帯びて感じられ、なつかしさすら覚えるようにもなる。

千寿は諸兄様の昔語りによって、縁もなければゆかりもないはずの嵯峨帝に、そうした淡い親密感を抱いたのだが……それが、自分に少しでも肉親の面影を伝えておいてやりたいと思われた諸兄様の、意図ある語り聞かせだったことを、やがて千寿は知ることになる。

「しかしこう見ると、主をなくしてからの七年のあいだに、離宮もだいぶ荒れてきているようだなあ。正子《まさこ》内親王様が父帝の菩提《ぼだい》のために寺に改めたがっておられるというが、どうなることか」

そう話を締めくくられて、諸兄様はごろりと横になられた。天を見上げてつぶやかれた。

「ああ……まこと、天が高いな。もうすっかり秋だ……」

「ほんに」

と千寿も空を見上げていたら、つと腕を引かれた。

振り向けば、諸兄様がしぐさと目で誘っておられて。

あたりを見まわし、どこにも人影は見えぬのを確かめてから、面映ゆさをこらえて、お誘いくだされた腕枕におずおずと身を横たえた。

諸兄様は千寿の頭を抱き寄せ、唇に唇をお当てになった。

「あの」

と困った千寿に、諸兄様は、

「口を吸うまでだ。それ以上はいたさぬゆえ」

とささやかれ、千寿は「はい」とささやき返して身をお任せした。

夏草はいくらか枯れ始めて、秋草が目立たぬ花を咲かせている茂みの中。見上げれば初秋の青く晴れた天がどこまでも広がっている下で、お床の中でするようなくちづけを交わすのは、気恥ずかしくもあり、心地よくもあり……

と、諸兄様が少し不思議なことをつぶやかれた。

「……嵯峨の賀美能《かみの》の御神よ、わたくし藤原諸兄は生涯、千寿丸を守ってまいります。地位も出世も栄誉もいらぬと思い決めました小官の覚悟を、なにとぞ赦したまい嘉《よみ》したまい、ご加護垂れたまいますよう……この命懸けて乞い願いたてまつります」

賀美能の御神というのは、嵯峨の帝のご神霊のことだろうが、（どうして、亡くなられた帝にわしとのことをお祈りになられるのじゃろうか）と千寿は思った。

それから、（もしやこの野には、神となられた亡き帝がお宿りで、いまもごらんになっておられたりするのじゃろうか？）と考えて、羞《はじ》らいに耳が熱くなるのを覚えた。

高ぶりかけていた自分を胸の中で（はしたないぞ）と叱って、

「そろそろ戻らねば、日が暮れまする」

と申し上げると、諸兄様も「そうだな」とうなずかれ、二人は馬上に戻った。

赤く燃え始めた夕陽に急《せ》かされながら山荘に戻れば、番を預かる老家人夫婦が湯殿の用意を調《ととの》えてくれていた。

「お背なをお流しいたしましょう」

「うむ。髪も洗うてくれるか？」

「はい」

そんなふうに諸兄様をお世話申し上げるのはとてもうれしくて、つい顔が笑っていたらしい。

「何か可笑しいか？」

と問われて、

「笑うておりましたか？」

と尋ね返した。

「ああ。口もとがゆるんでいた」

「では、うれしいからでござりましょう」

と申し上げたら、諸兄様はうれしそうに目を細めて、噛《か》み締めるように仰せられた。

「うれしいか……」

「はい」

「幸せか？」

「はい」

「俺も、うれしく幸せだ」

湯桶に浸かられ、仰《あお》のいて髪を洗わせておられた諸兄様は、おっしゃりながら手を伸ばして千寿の頬に触れてこられた。

「御髪《おぐし》が洗えませぬ」

と文句を申し上げると、

「もうしまいにしよう」

と仰せられた。

「まだ途中でございまする」

「俺はそなたの口が吸いたい」

「あと少しお待ちを」

「待てぬ」

「子どものような」

「いやか？」

「いいえ……」

仰向いておられる諸兄様のお顔に顔をかぶせるようにして唇をお預けすると、諸兄様は千寿の頭を手でお抱きになって舌を差し入れてこられ、しばらくチュクチュクと舌を吸い合うあいだに、たまらない心地になってきた。水干を濡《ぬ》らさぬよう単衣一枚になっている体を、ゾクゾクと快感が駆けめぐって、股間が熱くなっていくのがわかる。

「ふむ、なすびが熟れたか？」

諸兄様がおっしゃって単衣の前に手を入れてこられた、ちょうどその時。

カラリと戸が開いて、千寿はびくりと固まった。

「足し湯か？　そこに置いておけ」

千寿をお捕まえになったまま諸兄様がおっしゃり、

「へえい」

と屋敷番の翁《おきな》の声が答えた。そしてミシミシと入ってくる足音。

千寿はとっさに諸兄様のお手を払いのけて、湯殿を逃げ出した。

「千寿!?　どうしたのだ、千寿!?」

どうしたもこうしたもない、恥ずかしくて泣きそうだ！

バタバタと縁を走って部屋に飛び込み、寝間に立てまわされた几帳の陰に逃げ込んだ。

「千寿!?　これ、千寿！」

追ってこられた諸兄様のお声に、いっそう小さく身を縮めた。

だがすぐに見つかってしまった。

「ここか」

と几帳を剝《は》ぐられて、

「いったいどうしたというのだ」

とおっしゃった諸兄様は、呆れ声。

「出てきなさい。そのように濡れたままでは風邪をひく」

「もうしわけございませぬ」

まだ恥ずかしさが引かないまま、千寿はお詫《わ》びした。

「詫びずともよいが、わけを知りたい。なぜ急に逃げ出した？」

お声は怒ってはおられなかったが、ご機嫌がよいわけはない。千寿は顔を上げられないまま、おずおずと申し上げた。

「は、恥ずかしゅうて……」

「……ふむ、明るうていやだったのか」

おっしゃられた諸兄様のお声は、心外そうであられたし、千寿が恥ずかしかった理由はそれではない。

「い、いえ。あの……人が」

「人？　湯番のことか？」

「はい。あの……」

「あれがどうかいたしたか？　まさかあの歳で、そなたに何か不埒《ふらち》を働いたとは思えぬが……そうなのか!?　だとしたら、そなたの気が済むように仕置きしたうえで鉱山《かなやま》に流すなり！」

「いえっ！　いえ、そうではございませぬっ」

千寿はあわてて申し上げた。

「翁には何の落ち度もございませぬ、ただわたくしが恥ずかしかっただけでございまする。あした姿を諸兄様以外の人の目に見られましたのが、ただもう恥ずかしくて……!」

「……そうか。では俺の落ち度だな」

ハァとおつきになったため息に「すまぬ」と言い添えられて、諸兄様は縮こまっていた千寿の手をお取りになり、

「おいで」

とやさしくお命じになった。

「もう恥ずかしい思いはさせぬゆえ。あれらがおるところでは手も握らぬよう心得るゆえ、許せ」

言われて千寿は、(わしのほうが悪い)と思った。家人《けにん》の自分が、主である諸兄様にそんなふうに気を遣わせるというのは、間違っている。

そこで、

「わたくしのほうこそ心得違いをいたしました」

とお詫びした。

「わがことにかまけて、お仕えする身であることを忘れたふるまいをいたしました千寿のほうこそ、いけなかったのでございまする。どうかお許しなされてくださりませ」

ところがそのとたん、諸兄様はムッとお顔をきつくされ、

「俺はそなたを」

とまで言いかけられて、はたと口をつぐまれた。

「……いや、いい」

とは、言いかけられたことを取り消しになさる意味だろうが、何を言おうとされたのかわからぬこちらとしては、言いやめられたことで二倍気にかかる。

「何でございまする？　おっしゃってくださりませ」

とお願いしたが、諸兄様は「なんでもない」「そなたが気にすることではない」と仰せになるばかりで、千寿はますます気になってしまう。

「どうかおっしゃられてくださりませ」

「もうよいと言うておる」

「なれどっ」

といった押し問答のあげくに、

「しつこい！」

と叱られてしまった。

「そなたに言うても詮《せん》なきことゆえ、もうよいと申しておる！　いつまでもくだくだしく申すな！」

諸兄様がそうしたきつい物言いをなさったのは初めてで、千寿はまずはびっくりし、それからとてつもなく悲しくなった。

「もうしわけ……ござりませぬっ」

と言うあいだにも胸の奥から目へとドッと涙があふれ出て、千寿はひっくとしゃくりあげた。

「どうかっ、お、お許しなされて、くださりませっ。もうっ、もう何も申しませぬゆえっ、あ、愛想尽かしだけは、お、お許しをっ」

「ばかなっ」

諸兄様は吐き捨てるように仰せられ、乱暴にぐいと千寿を抱きすくめてこられると、苛立《いらだ》ったお声でおっしゃった。

「俺がそなたに愛想を尽かすなど、たとえ四海の水が干上がったとて、あることではない。俺がどんなにそなたを愛しゅう思うておるか、この胸を切り開いて見せてやれるものなら見せたいほどだ。

だから俺は、俺はっ……俺とそなたは、表向きはたしかに、そなたが言うとおり主と家人という間柄には違いないが、俺はそなたを家人だなどとは思うておらぬ、と……そなたにあれこれ仕えてもらうのはうれしいが、それは、俺にはそなたが愛しゅうて、そなたも俺を好きだから、その、つ、妻としてといったような気持ちでしてくれることだと思うから、うれしいのであって！　と……だな。

つまりは俺はそうしたことを言おうとしたのだが、うまく言えねば、そなたの気持ちをいっそう傷つけてしまいそうな気がしたし、うまく言える自信はなかったゆえ、言わぬことにしたのだ。

だから、つまり……俺のすることでいやなことや気に入らぬことがあれば、いやだと言うてくれればよい、ということだ。俺に対して、自分は家人なのだから、などという遠慮はしないでくれと言いたいのだ」

……じつのところ、これは諸兄の苦しい言い抜けだった。先ほど、ついうっかり言おうとしてしまったのは、言えば千寿に自分の身分を悟らせてしまう類《たぐい》の失言だった。それで、あわてて飲み込んだのだが、そのせいで千寿を泣かせてしまった。

そこでしかたなく、すべては明かさないが嘘ではないそうした言い方で、なんとか千寿の気持ちを鎮めようと努めていたわけだが、口下手の自覚がある諸兄の内心は戦々恐々《せんせんきょうきょう》、青息吐息の思いである。

「俺にとって、そなたは無二の妹背《いもせ》と思う愛しき想い人なのだから、家人だなどと遠慮されると腹が立つのだ。俺の大事なそなただから、そなた自身の口にでさえも、貶《おとし》めてほしくはないのだ。わかるか？　わかってくれるか？」

「……はい」

千寿はうなずき、諸兄様のお胸に顔を押しつけた。

「はい、はい……ようわかりました」

「機嫌を直してくれるか？」

「……お怒りなされましたのは諸兄様のほうでござりまする」

「俺はもう気が済んだ」

「千寿も、もう悲しゅうござりませぬ」

「では仲直りだな」

明るい声音でおっしゃられて、諸兄様は不意にウッと息をお詰めになった。

「い、いかん」

とつぶやかれたと思うと、ハックシュ！　とくしゃみをなされた。

「しまった、せっかく仲直りしたに」

くしゃみは言葉を覆《くつがえ》すのだ。

「だいじょうぶでござりまする。くしゃみの前に『いかぬ』と仰せられましたので、その前に仰せの『仲直り』は覆りませぬ」

千寿はそう言い繕いをして、くしゃみ封じのまじないに諸兄様のお肩をトントンとたたいて差し上げた。

「湯冷めをなされたのでござりまする。湯殿に戻られて、お体を温め直されませ。お風邪を召しまする」

「うむ、そうしよう」

うなずいて立ち上がられた諸兄様は、洗いかけの御髪は濡れたまま、お身には大帷《おおかたびら》をはおられただけというたいへんなお姿で、千寿は赤面しつつ、取り急ぎ湯殿にお戻りいただいたのだった。

諸兄様が二度入りになった湯浴みを済まされ、千寿もお流れで汗を流させていただいて、翁と妻の給仕での二人差し向かいでちょうだいする夕餉《ゆうげ》を済ませると、諸兄様は家人夫婦に、自分たちの住まいに引き取るよう申しつけられた。

「夜中《やちゅう》はこれといった用もないゆえな」

というのは口実で、本当の理由は、千寿に床入りを恥ずかしがらせないためである。

老夫婦は心得て、山荘の裏手にある自分たちの賤家《しずや》に帰っていき、

「これで、この家の中には俺とそなただけだ」

ということになった。

「誰に見られる気遣いもないゆえ、明かりは灯したままでよいな?」

「は……はい」

「声も存分に聞かせてもらうぞ」

「そ、それは」

「いやか?　俺のほかには誰も耳にせぬことぞ」

「は、はい……」

「町屋の曹司《ぞうし》では、人の耳目を気遣わぬわけにはいかぬゆえ、俺もそなたもあれこれ辛抱を強いられる。そのぶん、誰に気がねもいらぬここでは、せいぜいおおらかに過ごそうぞ」

「……はい」

それでも最初は気後《きおく》れが先に立って、ぬぐえぬ羞《はじ》らいに身を固くし声も噛んでいた千寿だったが、諸兄様のおやさしい愛撫《あいぶ》で体が蕩《とろ》けていくほどに、羞らいの枷《かせ》はゆるんでいつしか脱け落ち……

「ああんっ、ああんっ！　もう、もうくださりませっ、諸兄様ァッ！」

「くれとは、これをか？」

「はいっ、はいっ！」

「これを、ここにか？」

「ああっ、焦《じ》らしてはいやでござりまするっ、早うっ！」

「では、な……」

「あっ、あっ、ああっ！」

「こうか？　快《よ》いか？」

「はいっ、はいっ、ああ……ああ……ようござりまする、ようござりまする〜っ」

「もっと深くか？」

「いえ、いえ、そこが」

「ここが快いか？」

「よいです、よいですっ、つ、強う、もっと強う突いてくださりませ」

「こうか、こうかっ」

「あっあっあっ、ああ～っ、ああ～っ、ひんっ！」

突かれ揺すぶられながら、すがったお胸の乳首にしゃぶりついたりもした。それをすると、諸兄様のそこはますます猛々しくなられて、いっそう快いからだ。

几帳囲いの四隅に灯した灯明《とうみょう》の、油が燃え尽きてしまったころには、中天に昇った十八夜月の皓々《こうこう》とした月明かりが寝所に差し込んでいて、夜目に慣れた千寿には諸兄様のお顔つきのすみずみまでが見て取れたし、諸兄様にもまたそうだったろう。

「ああ、その顔だ。その快《よ》くてたまらなげな泣き顔を、じっくり眺めて楽しみたかった」

「そ、そのような、は、恥ずかしい」

「なんの恥ずかしいことがあるものか。俺がこうしてやるせいで、そなたはそうした顔をする。うれしいぞ、愛しいぞ」

「も、諸兄様も、快さげなお顔でござりまする」

「はは、さぞやに間抜け面か？」

「いえ、千寿がおさせ申しているのかと思うとうれしゅうなる、よきお顔でござりまする」

「うむ、うむ、そなたのここはいたすほどにまろやかな締まりが増して、どうにも止め処がつけられぬ」

それでもやがて疲れて抱き合ったまま夜半《よわ》の眠りに落ち、目が覚めたのは、はや巳《み》の刻とおぼしい日も高くなったころ。

千寿はすぐに起き出そうとしたが、諸兄様が「まだゆっくりでよい」と戯れてこられて、後朝《きぬぎぬ》を惜しむ暁のそれならぬ、白昼の悪戯事を付け足してしまった。

「ああ……もう……厨《くりや》には人がおりましょうものを」

寝乱れのうえに、白い背に黒髪を散らした抱かれ乱れのさまを重ねて、ぐったりと床にうつぶしたまま恨みがましく申し上げた千寿に、諸兄様はまだ物足りぬふうで千寿の肌に手遊びなされながらおっしゃった。

「あれらには呼ばねば来ぬよう申しつけた。

だが、そろそろ餓《かつ》えたな。朝餉を取り寄せよう」

単衣をはおられてお床を出ていかれ、縁の外でカンカン、カンカンとお鳴らしになったのは、寺であれこれの合図に使っていた板鼓《ばんこ》の音だ。

戻ってこられた諸兄様に、

「いつの間にあのような物をご用意に?」

とお聞きしてみたら、

「前からあったようだな」

とのことだった。

「このあたりが清原右大臣のものであったころには、この家は客用の離れ家だったように聞いているが、人目を忍ぶような立ち寄り人《びと》もあったのだろう」

「至れり尽くせりでござりまするね」

と感心したら、

「恥ずかしがり屋のそなたのためにあつらえたような逢《あ》い引《び》き場所だろう」

とお笑いになった。


諸兄《もろえ》様がお言いつけになったたっぷりの朝餉《あさげ》をおいしくいただいて、昼下がりというころ、二人で約束の市《いち》に出かけた。

京には二か所の官営の市場が設けられていて、七条《しちじょう》の大宮大路《おおみやおおじ》沿いに『東市』、おなじく西大宮大路沿いに『西市』がある。

そのうち東市は月の前半、一日から十五日まで開催され、帯や布、木綿、筆、墨、武具や鞍《くら》、馬、木器、薬などの独占品を中心に売買がおこなわれる。

対して西市は、月の後半に開催され、これまた綾錦《あやにしき》や絹、土器《はじ》、染め物、縫い衣、牛、油といった独占売買品のほか、両市が共通で取り扱う米や塩、干魚や生魚、海草、菓子なども含めて、衣食住に必要なあらゆる物が売られる。

市に出かけてくるのは庶民ばかりではなく、宮中や貴族たちの台所もここでの商品で多くまかなわれ、左右京職《きょうしき》の監督下にある『市司《いちのつかさ》』は、朝廷や貴族に命じられた各種物資の調達をおこなうのも重要な役目である。

千寿《せんじゅ》たちは馬で出かけた。諸兄様は狩衣《かりぎぬ》に烏帽子《えぼし》という軽いお姿で、千寿はいつもの水干《すいかん》上下。その美貌《びぼう》がどこか物憂げな陰を刷《は》いていたのは、昨夜と今朝の疲れが残っているからだ。

馬首を並べて西京極大路《にしきょうごくおおじ》をカポカポと南に下り、六条大路を東に折れた。日差しが暑いような秋晴れの日で、市に着いたら笠を買ってやろうと諸兄様が仰《おお》せになった。

「いまは西の市日だそうで、ちと残念だな。東の市のほうがずんと盛んだと申すし、馬市が出るそうゆえ、面白かったであろうに」

「ですが西の市には牛が出るのでござりましょう？　もしや牛飼い部《べ》の村のとと様がお育ての牛が、来ておらぬともかぎりませぬ。子牛が多く生まれた年には、お役所に納めた残りの牛は市で売ることもござりますれば」

「そうか、ではそなたのととに会えるかもしれぬと、楽しみにしていよう」

「会うてもわからぬやもしれませぬが」

「六つで村を出て以来、会うていなかったのか？」

「いえ、寺の御会式《おえしき》で年に一度ほどは」

「だったらわからぬはずがあるか」

「けれどとと様もかか様も、会うたびに『見違える』と言われます」

「あっはは！　それは、そなたがぐんぐん立派に育っていくゆえ、見違えるようだと申されたのだ。心配ないぞ、そなたのような美しい息子を、親殿が見逃されるはずはない」

山荘番の翁《おきな》に教わってきたとおり、西大宮大路からまた南に下って、市場に着いた。

「わあ……なんとたくさんの人が！　売り店もあのように数々……！」

二町四方の敷地に、小屋掛けした店棚や、葭簀《よしず》の屋根掛けの下にゴザを敷いての地売り商いの小店がずらりと並び、そのあいだをお屋敷の家人《けにん》とおぼしい供連れの男や、粗末な水干姿の地下《じげ》の男たちや、衣被《きぬかずき》した女たちといった買い物客や、品物を担ぎ運ぶ市の者たちが右往左往と行き来している光景は、千寿の目を瞠《みは》らせた。

「ううむ、たいそうに賑《にぎ》わっておるなあ」

カポカポと馬をうたせて行きながら、諸兄様ももの珍しげに見物しておられる。

「あれは何を商う店でしょうか」

「はて……ああ、烏帽子のようだな」

「店の奥で、主が仕立てておりまするね」

「ふむ？　ほうほう、烏帽子はあのようにして作っておるのか」

「あちらは……櫛屋《くしや》でござりましょうか？」

「おう、そのようだ。そちらは錦に綾だな」

「旦那さん、柿買うて行かぬか〜！　甘うてうまいよ〜！」

横合いからかん高く叫ばれて、振り返った。柿の実の入った大きな籠《かご》の横に女が座って、通る人々に「買わんか〜」と声をかけているのだった。

市女笠《いちめがさ》をかぶった主人らしい女のあとを、頭に大きな荷包みを載せた女がついていく。包みの中は衣《きぬ》であるらしく、黄色や赤の色が包み布のすき間から見えている。

「なんぞ買うてみるか？　ああ、そなたに笠を買おうと思うていたな」

笠を売る店を探して馬を行かせていたら、

「ありゃっ」

という女の声が耳に入って、千寿は何気なく振り向いた。

米を売るらしい店の前に立っている、ひどく太った女と目が合った。

「あっ！」

と千寿は声を上げ、

「ひゃっ！」

と女は身をひるがえした。大きな尻を振り振りバタバタと逃げていくその女は、千寿を売り飛ばそうとした遊び女商《め》いの大夫《たゆう》に間違いない。

「千寿？　どうかしたか？」

振り返って尋ねてこられた諸兄様に、

「あの時の大夫ですっ」

と申し上げた。

「大夫？」

「如意輪寺《にょいりんじ》の別当らに捕まりました時、わたくしが預けられました大夫でござりまする！　わたくしを誰ぞに売ろうとしたっ」

「なんと！」

諸兄様は血相をお変えになって『霧島《きりしま》』の馬首を返され、二人でしばらくそのあたりを捜してみたが、女はもうどこぞへ逃げ去ってしまっていた。

「なんとも逃げ足の早い女でござりまする」

「ううぬ、顔だけでもしかと見ておったら、検非違使《けびいし》に訴えて懲《こ》らしめてやれるものを！　そなたにむごき縄目の傷を負わせおった恨みは、忘れるものではないぞっ」

「追いかける暇もなく逃げられてしもうて、残念至極でござりまする」

「また見かけた時には、いち早く申せよ。引っ捕らえてくれるわ」

そんな一幕はあったものの、賑やかな市の雑踏の中を流れているうちにしだいに怒りもゆるみ、笠屋があったので馬を下りた。

「軽い菅笠《すげがさ》、丈夫な綾藺笠《あやいがさ》、垂衣《たれぎぬ》付きもございます市女笠。風流笠《ふうりゅうがさ》もございますよお」

「一つもらおう」

「これはこれは、若君様のお笠でございますね？　でしたらこの市女笠が、日除けによく雨にも強く、お忍びのご用にもまことに勝手がようございます」

「どうだ、これで」

「お言葉ながら、女物でございましょう。綾藺笠のほうがよきように存じますが」

「いや、雨の行幸の供奉《ぐぶ》には俺もこれを用いるぞ」

「下賤《げせん》の者にお顔をのぞかれぬ用心には、この笠が深うてようございますよ」

「うむ、もらおう。いや、そちらの垂衣付きのがいい。代価はいかほどだ？」

「諸兄様、わたくしは女子《おなご》ではございませぬ」

少しばかりふくれた千寿に、諸兄様はとぼけたお顔でおっしゃった。

「そなたの美しさは俺だけの独占物にしておきたいのさ」

「へいへい、毎度おおきにありがとうございます。笠の内におしるしをお入れできますが。へえ、墨でお書きいたします。は、『千』でございますね？　かしこまりました」

……誰が言い出したのか、『夜目、遠目、笠の内』ということわざがある。女が実際よりも美しく見える場合を言ったものだが、これには見えそうで見えない曖昧《あいまい》さ、ないしチラリと垣《かい》間《ま》見えるぐあいが、見る側のつごうのいい想像をかき立てるという、人間心理に触れた言い習わしである。

　せっかくお買い求めいただいた物をお断わりもできず、（どうにも女のようじゃのう）と内心不服に思いながらも、からむしの垂衣付きの市女笠をかぶったとたん、千寿がやにわに人目を引いたのは、まさにその『笠の内』効果とでも言うものだった。

　それまでもむろん、千寿が目立っていなかったわけではない。上等な水干上下を着込み、立派な鞍を置いた良馬にまたがった美少年の市場遊覧は、それなりに目引き袖引《そでひ》きされていたのだが、顔が見えていたあいだはさほどのことはなかった。

　それがすっぽりと頭を隠す垂衣付きの笠をかぶったとたん、千寿は『謎めいた美少年』として、おおいに衆目を引き寄せたのだ。いや、引いたのは、知り得ないことこそを知りたがる、人の好奇心だったかもしれない。

「ほう、ありゃ何人《なにびと》じゃ？」

「水干姿じゃが、もしや女子じゃろうか？」

「うむ、垂れのすき間からちらりと見えたところじゃあ、えらいべっぴんだが」

「いやいや、女子が馬になど乗るものか。どこぞの寺の稚児《ちご》あたりじゃろう」

「けれど立派な郎党がついておじゃるわいな」

「うふふ……あれもなかなかよい男ではないかね」

「おや、あたしは好かないね。男はもっと福々しくなくちゃ」

「ちょいと見えた見えたっ。なんともきれいな男童だよお」

「しかし、どちらもいい馬に乗っておるのう。鞍もまた、ありゃあ値が張る」

「いずこかの御曹司《おんぞうし》の忍び遊びであろうかの」

「ならば行き先は遊び女宿か？」

「はっ！　おのれら下郎と一緒にするまいよ、いやらしいっ」

「そもそもまだ十四、五じゃろう、女買いは早過ぎるわい」

「俺は十四の時にはやもめ女の世話になっとったぞ。もちろん下の世話だわ」

「ははっ、むつき（おむつ）の世話かよ」

「女のくせになんてえ口をききやがるかねっ、この泥亀は！」

「あたしが泥亀なら、そっちゃあイボガエルだろっ」

「あーあ、目のご馳走《ちそう》が行っちまった」

「やれ、商売商売」

人々の声高な噂ぶりは千寿の耳にも入っていて、可笑《おか》しいような面映ゆいような心地でいたのだが、市の西の端まで来て、「あ」と笠の前を持ち上げた。

「諸兄様、あれに」

「うむ、牛がいるな」

そこは牛の売り買い場所らしく、雨の日は一面のぬかるみになりそうな小さな広場の一方に柵を渡して、黒牛が二頭繋《つな》いであった。一頭は買い手などつきそうにない貧相な痩《や》せ牛だが、もう一頭はなかなかの体格だ。

柵のきわで、牛飼いらしい男たちがしゃがんでしゃべっていた。

「ととはおられるか?」

「いえ。あの中にはおりませぬ」

「牛飼い部の村は、京の近くだけでもいくつかあるようだな」

「あれへまいって、どこから来ている方々か聞いてみようと思いまするが」

「うむ、行ってきなさい」

そこで千寿は『淡路《あわじ》』から下り、手綱は諸兄様にお預けして、男たちのところへ行った。

「もうし。皆様方は葛野郡《かどのこおり》の牛飼い部の方々ではありませぬか?」

色黒く日焼けした男たちは、(なんじゃ?)という顔でじろじろと千寿を見やってきた。

「お尋ねいたしまする。葛野郡よりおいでのお方はおられませぬか?」

重ねて聞いた千寿に、男たちの一人がもっさりと口をひらいた。

「俺たちは紀伊郡《きいごおり》から来ておる」

なんじゃ、紀伊の方々か……とがっかりしつつ、

「おじゃまを申し上げました」

と会釈して、空き地の入口でお待ちの諸兄様のところへ戻ろうとした時だった。

「わっぱ、見つけたぞ!」

という怒鳴り声が飛んできたと思うと、手に手に棒や太刀《たち》を持った若い男たちが数人、荒々しく地を踏み鳴らして駆け寄ってきた。

「え？」

とあたりを見回した千寿が、

「わしか？」

と悟った時には、もう若者たちに取り囲まれていた。

それぞれに色派手やかな水干や狩衣を着込んでいるが、着物はどこか垢染《あかじ》みて、顔つき目つきも荒《すさ》み崩れた風情の若者たちは、どう見てもまともな者たちとは思えない。

しかし相手の風情だけでひるむ千寿ではなかった。

「何用ですか」

臆することなく凜《りん》と尋ねて、自分を囲んでヘラヘラと薄笑いを浮かべている若者たちを一人一人見渡した。

と……見覚えのある顔に行き当たって、目の色が変わった。

あの遊び女の大夫の家にいた、大夫の情人らしき男ではないか！

「へっへェ、そっちも覚えていたけェ」

男が憎々しげに笑った。

「千寿！」

と諸兄様の声が向こうで叫び、

「ええい、寄るな！　放せ！」

と続いた。

見れば諸兄様は、またがった『霧島』や曳いた『淡路』ごと女たちの群れに取り囲まれて、キャアキャアとどこかに押して行かれようとしている。千寿の窮地に駆けつけてくださろうにも、お腰に太刀はあれど女たちを斬り伏せるわけにはいかず、手も足も出ないごようすだ。

「さあさあ、おまえたち！　その殿御は捕った者勝ちだよ！」

キイキイと叫んだのは、女たちの人垣の後ろに見つけた、あのでぶ大夫。

「馬から引きずり降ろして、またがっちまった者勝ちだ！　さあ、捕ったり捕ったり！」

その声にキャアッと嬌声《きょうせい》を上げた女たちは、大夫の配下の遊び女らしい。

「これっ、やめろ！　ええい、やめぬか、放せ放せ！　誰ぞ検非違使を呼べ！」

「諸兄様、お逃げください！」

だが千寿もまた危機の渦中だ。

「あっちはあっちでお楽しみ。こっちもこっちで楽しむとしようぜ」

へらへらと言った大夫の情夫が、むずと千寿の襟《えり》がみをつかもうとした。

とっさにバシッとたたき払った。

「おー痛ェ」

男はわざとらしく顔をしかめ、下卑た面つきの鼻の先から千寿を見下ろして言った。

「これでおめェにゃ貸し二つだ。おめェが逃げやがったせいで、あの別当どもに焼きを入れられるハメんなった貸しと、いまのとで、ふたあつ。取り立てとしちゃァ、すねの骨二本だな。両すねぶち折っときゃァ逃げられる気遣いもねェし。その上で、この犬王組《いぬおうぐみ》の飼い犬にしてやるよ。ケツの穴がずたずたになるまで可愛《かわい》がってやるから、楽しみにしてな」

「お断わりいたします！」

ぴしりとやり返して、千寿は顎《あご》の下で結んだ笠の緒を解いた。

相手の陣容は、前に三人、左右に二人、そして背後に……二人。どれもたいして強そうではないが、おとなと子どもの力の差は否めないし、多勢に無勢の不利も大きい。

（ここは逃げる）

と決めて、逃げ道を探した。

「おおっとおっとォ、逃がしゃしねェぜ。おい、犬若《いぬわか》」

声がかかった犬若とやらは、一人だけ肩に太刀を担いでいたやつで、もったいぶるように鞘《さや》で二、三度肩をたたいてから「ぎひひ」と乱杭歯《らんぐいば》を剝《む》き出し、ジャリッと太刀を抜いた。ところどころ赤錆《あかさび》が浮いている抜き身を、見せびらかすようにかざして見せた。

「へっへ、逃げようとすりゃァ、こいつでバッサリだ。観念するんだなァ」

残りの者たちが持っているのは、竹の棒に樫《かし》の棒。樫の棒のほうは打たれれば危ないが、竹のほうは当たってもたいしたことはない。太刀は……あの錆びようなら、ろくに切れ味はないと見よう。すばしこそうなのは、千寿の左横にいる男と、犬王とやらの右隣にいる男。背後の二人は、出番はないと油断をしているようだ。

ざっと状況を読み取って、相手が動く前に先手を打ってやろうと、飛び出す呼吸を図り始めた矢先だった。

キャアアアッ！　という女たちの絶叫が耳をつんざいた。

思わずぎょっと見やれば、諸兄様に群がっていた遊び女たちが、われ先につんのめるようにして地面に這《は》いつくばっていて、その理由は、諸兄様が馬の上からお撒《ま》きになっている銭。

「そーら拾え！」

また一つかみバラバラッとお投げになって、餌を争う鶏のような女たちをあなたへ走らせると、諸兄様は、まだ馬前にいた幾人かに、

「そこ退《の》けい!!」

と怒鳴って『霧島』の腹を蹴《け》った。

『霧島』は主に応えてヒヒ～ン！　と勇ましくいななくや、ヒイッと逃げまどう女たちを蹴散らす勢いで、こちらに向かって駆け出した。

「わわっ！　い、犬若、斬れ斬れっ！」

犬王のあわてふためいた下知に、犬若が「ひえっ！」と太刀を振り上げたが、その時にはも

う千寿は地を蹴って敵陣に飛び込んでいた。犬若の顔に笠の縁をたたきつけ、返す勢いで犬王の横面も殴りつけておいて、囲みから飛び出し、ドドドッと駆けつけてこられた諸兄様がお曳《ひ》きの『淡路』に駆け寄ってひらり飛び乗った。

「怪我《けが》はないか！」

「はい！」

「そやつらも大夫の一味か!?」

「はい！」

「『霧島』、踏み殺してしまえ!!」

怒り心頭に発した諸兄様の大音声《だいおんじょう》に、『霧島』もヒヒヒ～ンッ!!　と雄叫《おたけ》びで応え、犬王組とやらは肝をつぶした体《てい》でクモの子のように逃げ散った。

「おのれっ待たぬか!!　卑怯者《ひきょうもの》ども!!」

との罵声《ばせい》にも振り返る者すらなく、無頼漢どもはあっという間に姿を消した。

「ええいっ、忌《い》ま忌《い》ましい！」

ギリギリと歯嚙《はが》みをなさった諸兄様に、千寿も悔しさいっぱいの心地でご報告した。

「大夫も逃げました。まるで厨《くりや》のネズミじゃ」

太っていてもチョロリと逃げ隠れる素早さは呆《あき》れんばかり。

「まったく、とんだ市見物になった」

まだお怒りの鎮まらないお声で吐き捨てられた諸兄様に、

「まことに」

とお答えして、千寿はハッと青ざめた。

「お、お手に血が！　お怪我なされたのでござりまするか!?」

気がつけば狩衣もあちこち破れている。

「いや、引《ひ》っ掻《か》き傷だ」

おっしゃられた諸兄様が、くるりと馬首を返された。女どもに捕まっておられたあたりに馬をお進めになって、誰かを捜すように見まわされ、それから逃げ残りの遊び女たちや野次馬らを馬上から見渡しながら、大声で仰せになった。

「馬の蹄《ひづめ》にかかった者はおらぬか！　踏まれた者、蹴られた者があらば申し出よ！」

「生き馬の目だって抜こうって市の遊び女に、そんな間抜けはいやしないよ！」

とやり返してきたのは、諸兄様を襲った女たちの一人らしい。

「そうか」

と、諸兄様はうなずかれた。

「それならばよい。女に怪我をさせたとあっては寝覚めが悪いからな」

「へへんっ、おやさしいこって。虫ずが走るね！」

女の言い返しに千寿はムッとなり、諸兄様も顔をしかめておっしゃった。

「憎まれ口より先に、前を合わせたらどうだ。おまえも女の端くれだろう」

女は「え？」と自分の前を見下ろし、「きゃっ」と屈み込んだ。

「では行こうか」

と振り向かれた諸兄様に、

「はい」

とお答えして、馬を並べての帰路につこうとした時だった。

「もうし、若君様」

と呼び止められて振り返った。

さっき話をした牛飼いだった。

「なにかご用ですか？」

「あーいや、葛野のことを聞いておられたゆえな。知り合いがないでもないで」

「茂足《もたり》というお人はご存じですか？」

「おう、川西《かわにし》のか？　よう知っておる」

と聞いてみた。

千寿は急いで馬から下りて、勢い込んで尋ねた。

「もしやいま京に来ておいでとか!?」

「いんや、帰りに寄る約束じゃが」

「とと様の家に行かれますのか⁉」

「ほ？　息子どんか⁉」

「あいっ！　六つの歳まで育てていただきましたっ」

「んじゃあ、如意輪寺の稚児になったという子かよ！」

「はい！　この三月に寺を出まして、ただいまはこの京で、蔵人《くろうど》の藤原《ふじわら》諸兄様にお仕えいたしておりまする。とと様かか様に消息をお伝えせねばと、ずっと気にかかっておりました。お会いなさりましたなら、千寿は元気でおりますとお伝えなされてくださりませ！」

「おうおう、こりゃあ何よりの土産ができたわ」

牛飼いが目を細めて請け合ってくれたところへ、諸兄様が馬を戻してこられた。

「知り人であったのか？」

「はい、とと様をご存じのお人であられました。戻りにとと様の家に寄られるとのことですので、わたくしの消息をお伝えいただくようお頼み申したところです」

「なればついでに、なんぞの贈物《ぞうもつ》も届けてもろうてはどうか？」

諸兄様はおっしゃって、

「銭ならまだあるぞ」

と得意げに笑まれた。

垂穂《たるほ》という名だそうな牛飼い殿も「わしの牛に積めるぐらいの物なら引き受けよう」と言っ

てくれて、そういうことになった。

垂穂殿の牛は、二頭いたうちのよいほうの牛で、買いたいという引き合いはあったが値が折り合わなかったので、今回は連れ帰るのだそうな。

一軒ずつ店を見て歩くには馬はじゃまになるので、『霧島』と『淡路』は垂穂殿と仲間の牛飼いたちに預かってもらった。

贈り物を買い調《ととの》えるという生まれて初めての経験は、ドキドキわくわくと胸躍る楽しいものだった。

「とととかかのほかに家族は幾人だ?」

「ばば様と、あに様二人、あね様が三人、下にあと二人でござりまする」

「ひいふうの……十人か。にぎやかそうだな」

「はい。小さな家に押し詰まって、楽しい暮らしでござりました」

「葛野郡ならば、馬で行けばさほどの遠道でもない。明日はととの家を訪ねに行くか?」

「よいのでござりまするかっ!?」

「親に孝養を尽くすのは大事なことだ」

「ありがとう存じまする!」

「十人分の土産はかさばろうほどに、先に届けておくがよかろう」

店に並んだ品々は数限りなく、見れば見るほど目移りがしてきりがなくなった。結局、諸兄様とのご相談で反物を買うことにして、とと様とあに様たちには厚地藍染めの葛布《くずふ》を一反ずつ、かか様とあね様たちには美しい色染めの絹を選んだ。ばば様は特別に真綿の入った大袿《おおうちき》にした。寒がりのばば様が、これからの季節に暖かく眠れるようにだ。千寿には弟妹にあたる二人には調布《ちょうふ》（麻布）を買った。

「これで全部そろうたか？」

「はい。皆のぶんござります」

ところがホクホク顔の主人が言い出した代価を聞いて青ざめた。

「十貫文⁉　銭十貫でござりまするか⁉」

ふだん銭など使ったことのない千寿だが、一貫は銭千文といった算術だけは頭にあり、おそろしい大金だということだけはわかる。

「そ、そのような銭、ありませぬ！」

おろおろとなって、ともかく選んだ品々を返そうとした。

「俺も十貫もの銭は持ち合わせがないが」

諸兄様も頭をかかれて、主人におっしゃった。

「砂金ではいかぬか」

「き、金でござりまするか⁉」

主人は顔をこわばらせ、

「もちろんけっこうでござりまする、大けっこうでござりまする！」

と膝を乗り出した。

諸兄様が懐からお出しになったのは、千寿が業平《なりひら》様からいただいた小さな銭袋よりまだ小さいぐらいの錦の袋で、千寿は（足りるのじゃろうか）とはらはらしたが、主人は分銅やら秤《はかり》やらを使って事細かに量ったうえで、袋の中身の半分ほどをおしいただいて受け取った。

砂金とはたいした価の物なのだなと、千寿は腹の中で舌を巻いた。

さて、反物九本と縫い衣一枚の荷を店の者に運ばせて、牛飼いたちのところへ戻る途中で、諸兄様はさらに干し昆布やら干鱈《ひだら》やらを山のようにお買い求めになった。

「米もよいのではないかと思うが、牛の一荷には余るだろうかな」

「さあ……わたくしにはよくわかりませぬ」

「牛飼いの意見を聞いてみるか」

垂穂殿はなんとか運べるだろうと言ったので、諸兄様はさらに米を二俵お求めになり、牛の背に積ませた。

「一俵は荷運びの労賃だ。よしなに頼むぞ」

「へへえっ！　こりゃこりゃありがたいこって！」

「今日のうちに行けるか？」

「へえっ、今夜はみなで茂足のとこへ泊めてもらうことになっとりますで」

「では、われらが明日訪ねると伝えておいてくれ」

「そりゃ茂足もかかも大喜びいたします！　へえへえ、たしかに申し伝えますでございます」

「お願いいたしまする」


帰り際、柿の実を十ばかりと、夕餉の料に鮎《あゆ》を一籠買った。

山荘に帰り着いてから狩衣をお脱ぎいただいてお調べしたところ、腕と言わず高腿《たかもも》と言わず女たちに引っ掻かれたあとのみみずばれだらけで、たいそうお気の毒なありさまだった。

家人の翁が塗り薬を持っていたので、千寿がお手当てして差し上げた。

「ひどい目にお遭いになりました」

「なあに、そなたが無傷で何よりだった」

「犬王組とやら名乗りましたあやつら、さぞやいろいろと悪事を重ねているのでござりましょう」

「うむ、検非違使の耳に入れておこうと思う。おそらく人攫《ひとさら》いといったことにも手を染めているのではないかな」

「あの別当にひどい目に遭わされたというのは、自業自得でよい気味でござりまするが」

「悪人は逆恨みというのをする。今日のところは追い散らしたが、まだそなたへの意趣返しをあきらめたとは限らん。市は面白いところだが、一人ではけっして足踏み入れてはならぬぞ」

「はい。心得まする」

犬王組とのやり合いに使ってしまった市女笠は、少しゆがんで垂衣がほつれていたので、屋敷番の妻の媼《おうな》に直してもらった。破れた狩衣は翁にお下げ渡しになった。

塩焼きの鮎も添えられた夕餉を済ませると、家人夫婦は住まいに引き取らせ、また二人だけの夜を愉しんだ。朝からもなされたのに諸兄様はお元気で、千寿はくたくたになった。

諸兄様の腕を枕に床に収まって、虫の音を聞いた。ころころとよく鳴くコオロギの声に、ときおりスズムシの声が混じるが、まだ幼くてリーリーと二つばかりしか鳴かない。

「虫籠を作って、町屋《まちや》の曹司で飼うのも面白うござりましょうね」

と思いつきを申し上げたら、諸兄様はもうお眠りになりかかっていたようで、「うむ？」となま返事をなされた。

「何でもござりませぬ、お寝《やす》みなされませ」

と申し上げたが、「なんだ？」と重ねてお尋ねになられたので、お答えした。

「スズムシでござりまする。幾匹か捕まえて、内裏《だいり》に連れて帰ってはいかがかと」

「うむ……東宮《とうぐう》殿下に差し上げるか？」

「ああっ、それはお喜びになられるかもしれませぬ！」

「では葛野まで行ってくるあいだに、爺やに虫籠を作らせておこう。それと、桔梗《ききょう》の花を探さねばならなかったな」

「はい」

もうだいぶ欠けてきた月がほのぼのと昇った秋の夜は、ただおだやかに更けていくようだったが……

ふと、ほとほとと戸をたたく音を聞いたように思ってから、しばらく。

「千寿、千寿」

と揺り起こされて、「はい」と寝ぼけまなこをひらいた。

「内裏から火急の用との使者が来た。行ってまいるゆえ、そなたはゆっくり寝ていなさい」

千寿は急いで起き上がった。

諸兄様はもう烏帽子をつけ狩衣をお召しになって、すっかりお支度済みだ。

「もうしわけございませぬ、気づきませぬで」

「なあに、起こさぬようにいたしたのだが、文《ふみ》を書いていく時間がないので、心配かけぬよう言うていくことにしたのだ。

まだ亥《い》の刻の上刻というあたりゆえ、今夜のうちに戻ってこられるかもしれぬ。おとなしゅう寝ておれよ」

「はい。かしこまりました」

戸口までお送りして、お使者と二人で馬で出かけて行かれる諸兄様をお見送りした。

今夜はまだ月が明るいから、夜道にお困りになることはないだろう。

お姿が闇に溶け、馬の蹄の音も聞こえなくなってから、部屋に戻った。

その男たちは、千寿が戻ってくるのを待ちぶせしていた。

いきなり頭からバサッと衾《ふすま》（掛け布団）をかぶせられ、アッと思った時には頭をくるまれたまま押し倒され、のしかかってきた二人がかりに組み伏せられた。

「なっ、何をするっ」

と怒鳴ったが、声はかぶせられた衾に吸われ、家人夫婦が寝ている家まで届いたふうには思えない。

千寿は必死で暴れたが、腕は衾包みに押さえ込まれ、足も縄らしき物でギリギリ巻きにくくられてしまうと、もう枝から落ちた青虫のようにもがく以外は身動きもできなくなった。

「運び出せっ」

低く命じた男の声に、ハッと耳を澄ませたが、聞き覚えのある声ではなかったようだ。

ぐいと引き起こされて、肩の上に担ぎ上げられた。

ドシドシと男が歩き出し、「急げっ」という声に足取りを速めた。

ドシンッと腹に来たのは、縁を飛び降りた衝撃らしい。

そのまま男は千寿を担いで走り出し、幾人かの足音が従っているのを聞き取りながら、千寿はなすすべもなく運ばれて行った。

さて時は少し戻って、千寿たちはまだ初めての市見物を楽しんでいたころ。

業平は、諸兄と千寿丸がうれし楽しの三日間の遊山《ゆさん》に出かけていくのを横目で見送って以来の不機嫌を、ごく上機嫌な仮面の下に隠し込んで、二日目の稽古《けいこ》のために雅楽寮《ががくりょう》に向かっていた。

機嫌が悪いのは、もちろん面白くないからで、上機嫌にふるまっていたのは、自分の内心を誰にも悟らせたくなかったからだ。

千寿を可愛く思う自分の心が、その幸せを無条件に喜んでやれるほど寛大ではないことを、業平は知っている。

千寿の幸せが諸兄との間柄にかかっていることは紛れもない事実であり、諸兄が千寿の幸福に与《あず》かるにふさわしい男であることも認めているが、それでもなお（なぜ俺ではなかったのか）との思いは、摘んでも摘んでも芽を出してくるしぶとい夏草のように、ふとしたことで頭をもたげる。

こんなにあきらめの悪い男ではなかったはずだと、自分で自分が歯がゆい。

諸兄とは立場が違うが、自分と千寿のあいだにも特別な絆ができている。千寿の言葉を借りれば『兄のようにお慕いしている』というそれは、諸兄が得ているものとはまったく異なる、自分と千寿だけの関係であり、諸兄はそうした業平と千寿の関係をひそかにうらやましがっている節さえある。

千寿にとって諸兄と業平は、『恋人』と『兄』という、比較の対象にはならずどちらも大事という地位にいるわけで、その意味では、諸兄が業平にやきもちを焼くのも、業平がひそかに諸兄をうらやむのも、満ち足りることを知らぬばかな欲かきというものである。

が……人の心というのは本来強欲なものなのだろう。頭ではいくらわかっていても、不満足は不満足、妬《ねた》ましさは妬ましさとして胸に棲《す》み着き、業平が十代のころから理想としてきた『風のままに流れ行く雲のごとくに、何物にも囚われぬ生き方で、軽佻浮薄《けいちょうふはく》と言われるような人生を究める』という美学を、根底から揺さぶろうとする。

業平は、そんな自分が許せない。恋は楽しむものであって囚われるものではないという信念を、みずからの執着心が揺るがしている現状は、まったくもって不愉快だ。

よって業平は自分に腹を立て、不機嫌なのであって、そうした鬱屈《うっくつ》を他人に知られるなどはもってのほか。軽やかに花を舞う蝶が、羽根をむしれば青虫の姿であるなどという事実は、誰も喜ばせないのとおなじことで、親友が手に入れた恋にむくつけく嫉妬《しっと》する自分など、誰に知られてなるものか。

そうしたわけで業平は、二人が水入らずの遊山に出かけたことでの不機嫌は、いっさい表に出さない決心でいたのだった。

夜明けとともに始まって午《うま》の刻前に終わった本日の政務も、業平は終始張り切った仕事ぶりで精力的にこなし、同僚たちに「いったい、どんなよいことがあったのか」と言わしめた。

政務が片づいたあと、帝《みかど》のお召しでしばらくお話し相手を務めたが、帝がまずおっしゃられたのは、

「将監《しょうげん》には、なにかよほどうれしいことがあったのかな？」

というお尋ねだった。

「そのように見えましょうか」

「念願の文《ふみ》でも届いたのか？」

「いえ、そのようなことではございません」

「ならば聞き質《ただ》しても差し支えはなかろうな。何があったのか？」

「昨日より『納曾利《なそり》』の稽古を始めました」

「ほう。それがうれしいと？」

目の中に笑いの影をまたたかせて追及してこられた帝に、業平はしゃあしゃあとお答え申し上げた。

「いまをときめく右大臣《うだいじん》の秘蔵子・国経《くにつね》殿を、遠慮会釈なく『へたくそ』と呼べる快感は、なかなか癖になりそうです」

「はっはっは、将監の藤原嫌いは筋金入りだからねえ。困ったことだ」

帝はおっしゃられたが、本気ではあってても本音ではない。だから業平は好き放題を言うこと

にしていた。藤原冬嗣《ふゆつぐ》の娘順子《じゅんし》とのあいだに東宮道康《みちやす》をもうけておいでの帝には、口が裂けてもおっしゃれないことを、代弁する人間がいてもよいだろうと思っている。

「藤原すべてを目の敵にしているわけではございません。現に、北家《ほっけ》の端くれである諸兄とは友として親交いたしております」

「あれは、少し変わり種であるからね」

諸兄のことは、帝はいつも目を細めてけなされる。

「母の腹の中に『野心』を置き忘れて生まれた男だ」

「そこも値打ちでございましょうが、私が気に入っておりますのは、別のところです」

「ほう？」

「あの気の利かぬ鈍さが、なんとも可愛《かわゆ》う思えてならぬのです。藤原とは思えぬ不器用さも」

「純情な男であるのは朕《ちん》もよく知っている」

少しうつろなお声で言われた帝が、何をお考えかわかったので、

「ですが、ばかではありません」

と申し上げた。

「野心にうとくばか正直で、気をまわすということが苦手なぶん利用されやすいタチではありますが、いったん事をわきまえてのちは正鵠《せいこく》を見失うことなく、巌《いわお》のごとき誠心で信念を通す男です」

「それで、かの者を預けたのか?」

「はい」

「だが将監との噂があるようだが」

「内侍《ないし》たちの噂話ですね」

蔵人は帝の側仕《そばづか》えではあるが、その役目は公務に関するお世話であり、寝起きのことや食事など身の回りのお世話に仕えるのは、内侍の女官《にょかん》たちの役割である。そして噂話を取り扱うのは、いつの世でも女たちの得意技だ。

「噂と申しますのは、自然に発生して勝手に流れるものと、意図して作り流すものとがございます」

業平はそれを、几帳《きちょう》の向こうにひかえている内侍の耳には入らぬように、声をひそめて申し上げた。

「たしかにね」

とうなずかれた帝も小声におなりだ。

「私と『千』のお方とのことは、後者のほうで」

帝はホウッとため息をおつきになり、さらに声を落としてお尋ねになった。

「将監はそれで、誰を手玉に取っているのか?」

「国経でございます」

「ふむ？　良房《よしふさ》ではのうてか？」

「はい。これは恋のさや当てでございますので」

「それは……いささか驚きである」

帝は目を丸くしておっしゃり、業平は笑って申し上げた。

「稚児趣味のある者たちにとっては、千のお方は『猫にかつお節』といったものです。もっとも国経につきましては、叔父御の耳打ちがあってのことのように思われますが」

「それは何やらきな臭い話ではないか？」

「そうはならぬよう、国経は私が相手取り、お方には厳の朴念仁《ぼくねんじん》をつけてございますので」

帝はしばらくお考えになられてから、低いお声でおっしゃった。

「そうしたことで将監らが守ろうとしているのは何か」

「宮中の平穏でございます」

業平はごくまじめな気持ちでお答えした。

「平穏無事に日々が過ぎ、頭を悩めるのは女に贈る歌の出来映えぐらいという暮らしが、私の望みでございます」

「……そうか」

「諸兄の思いは、いささか別でございますが」

「ほう」

「お方を権謀術数の道具に使われないために、どこぞ鄙《ひな》への任官を願い出ようと考えておりますようで」

「それは……許しがたい。右大臣もそう申すであろう」

「地方に下って力を蓄え、いずれ謀反《むほん》を引き起こす気か、と？」

「あり得ぬことではない」

「諸兄が鄙下りを望みましたのは、お方を害そうとする企てに出会いましたためです」

「なに？」

「誰の企みであったのか、いまだ尻尾もつかめておりませんが」

「……人の世は、時に恐ろしいさまを見せるものだな」

沈んだお声で唸《うな》るように仰せになった帝は、渦中での経験として権力争いの実態を目の当たりにされている。

「まことに。先ほどのお尋ねへのご返答をつけくわえますれば、私も諸兄も、宮中の平穏を望むと同時に、そうした恐ろしき心の暗躍する権力の場にお方を巻き込みたくないと……お方には何もご存じないまま、一介の人として幸せなご生涯をお送りいただきたいものだと希求しております」

「それはまたずいぶんと……むずかしい願いをかなえようとしているのだね」

「諸兄はすでに生涯を懸ける覚悟でございます」

「朕に仕えるよりもか」

「官人《かんじん》としての務めと、愛する妻を慈しむ暮らしとは、矛盾いたさぬことでございます」

「おや……」

と気づかれた帝は心もち眉《まゆ》をひそめておられたが、業平は見ぬふりで続けた。

「よって国経に野暮をさせぬのが、友としての私の役目と心得まして、ちとまあ、あれこれ」

帝は苦笑され、

「友を思うのはよいが、あまり右大臣を刺激せぬようにいたせ」

と釘《くぎ》を差してこられた。

「ところで、そろそろ稽古に行く頃合いではないか？」

「はい。お許しいただけますなら、下がらせていただきとう存じます」

「将監らの連れ舞いは女御《にょうご》らも楽しみにしている」

「ご期待に添うよう精進いたします」

「国経をよう鍛えてやってくれ」

「かしこまりました」

御前を引き下がると、業平は蔵人所町屋の曹司に戻った。

「光正《みつまさ》、『竜胆《りんどう》』の直衣《のうし》を出してくれ」

「いずれへお渡りでございますか」

「雅楽寮だ」

「舞いの稽古に、ご新調の直衣で？」

「口説き落としたい相手がいるのさ」

「はあ」

冠と束帯《そくたい》を解き、淡蘇芳《あわすおう》の表に裏の青が映る秋草の名の色目《いろめ》の直衣を着込むと、業平は光正を供につれて雅楽寮に向かった。

楽や舞いは、専門の楽人や舞人がおこなうばかりではなく、風雅を愛する貴族階級がたしなみとして身につけ、あるいは楽しみとして興じるものでもある。業平たちがたなばたに舞いを披露したのも、そうした趣味の修練を御覧に供したものだ。

楽や舞いを学ぶには、名のある楽人を屋敷に招いて教授を受けるのがふつうだが、それが雅楽寮に通っての稽古ということになったのは、国経とのあいだに話し合いがつかなかったせいだった。

二人舞いであるので、当然どちらの屋敷で稽古するかという問題が持ち上がったわけだが、こうした場合しきたりとしては、下位の者が上位の者を訪ねることになる。

では業平と国経の上下関係はというと……これがじつに微妙だったのだ。

位階はどちらも正《しょう》六位上だが、業平のほうが年上で、蔵人と左近衛《さこのえ》の将監という官職を持っている。しかし令外官《りょうげのかん》である蔵人や近衛士という官職と、国経が任官している中務省《なかつかさしょう》の内舎人《うどねり》という官職は、どちらが官人としての席次が高いかというと……たいへん微妙。また親王の子であるが臣籍に下った業平と、朝廷の実力者である藤原右大臣にごく近い国経との、立場的な上下の判断も、また微妙。

もちろん業平は、年長者として年下の国経を屋敷に招くことを主張した。だが国経は「身の危険を感じる」といった言い方で、業平の屋敷に通うことに難色を示した。

たなばたの日に遣ったからかいの文を真に受けたふりで、業平を招き寄せる立場を得ようとしたのだ。

業平としては（ちょこざいな）といったところ。ならば、どちらがどちらを訪ねるのでもなく、雅楽寮の舞殿で稽古しようということで決着させたのだった。

もっとも、あの事件があったおかげで、いまの業平は国経の弱みを握っている格好であるから、やはりわが屋敷で、といったことに押しきれないでもないのだが……じつのところ業平の気持ちの中では、国経をどうこうしようという気は薄れていた。

それなりの曲者とみていたところが、ああした青臭い過ちをやる若造と知って、興味がそがれたというところなのだろう。

このたびの『納曾利』の二人舞いも、決まった当初には（願ってもないこの機に、国経をどうからかってやろうか）と楽しみに思っていたのだが、いまでは面倒に思えている。

帝のお声掛かりをいただいたことなので、むろんおろそかにするわけにはいかないのだが。

大内裏の東南すみにある雅楽寮の、楽人たちの稽古場である舞殿では、師匠を務める物師（楽人）の林 真倉《はやしのまくら》が、臨時の弟子たちを待っていた。

頭には白髪が目立つ年ごろの真倉は従《じゅ》七位の下級官人だが、勅によって『賀殿《かてん》』の舞いの振りつけや『央宮楽《ようぐうらく》』の作曲をしている、帝ご贔屓《ひいき》の物師の一人。高麗笛《こまぶえ》の上手であるとともに、舞いの名手でもある。

「真倉殿」

と業平は呼びかけ、

「お待たせをしてしまったようだ」

と詫《わ》びを言った。

「いえ、まだお約束の刻限には早うございます」

自分より高位の弟子への真倉の態度は慇懃《いんぎん》であるが、ひとたび指導となればきびしい言葉も使う老人で、業平は気に入っている。何事も、うまくなるには鍛えてくれる師が必要で、地位や身分で遠慮などをされては芸の伝授はままならない。

「国経殿もまだか」

「まもなくおいでになられましょう」

「俺より遅いとは、長上への礼がなっていないな」

そう鼻を鳴らしたところへ、国経が入ってきた。

「これは、遅参をしてしまったか」

と言ったのは、真倉に。

「業平様が一足お早うございました」

真倉は如才なく言って、けっして仲がいいわけではない二人の貴公子のあいだを取り持った。

「それではさっそく、昨日の続きを願おうか」

「かしこまりました」

「光正、袖を絞ってくれ」

「ははっ」

『納曾利』の舞いは、武人姿である別装束で舞うもので、筒袖の袍《ほう》を用い、さらに袖口はきりりと絞る。直衣の袍は大袖であるので、いささか勝手が違うことになるが、まだいまは舞装束には及ばないとのことなので、普段着での稽古となっていた。

国経も供の者に手伝わせて支度を調えた。

「まずは昨日いたしました『破《は》』を復習《さろ》うていただきます」

太鼓の前に座った真倉が、ばちをかまえて出の高麗小乱声《こまこらんじょう》を奏し、登壇した業平と国経が向かい合わせに立ち定まると、続いて当曲《とうきょく》の拍子打ちに入った。

舞い手は正面に向き直って舞い始めるのだが……

「合いませぬ！」

とさっそくの止めが入った。

向かい合わせから正面向きへと向き直る二人の動きが、ぴたりと合っていなかったというのだ。

「真倉殿、どちらが遅れた？」

わかっていて聞いた業平に、国経がムッとした顔をしつつ「わたしが」と自己申告し、登壇の場所まで戻っていった。

だが二度目も合わず、こんどは業平が少し早かった。

「やれやれ、どうも息が合わぬな」

「いま一度」

「うむ」

三度目はどうにか合い、揚《あげ》拍子での『破』の舞いに入った。

「足の踏まえ強く！」

「目はかざし手の指す方に！」

「合いませぬ！」

「手のそろえ！」

「踏み足のそろえ！」

「三のォ四、返して一とォ二ィ……合わせませい、合わせませい！」

舞いの手は昨日のうちに覚え込んだので、今日から課題は二人舞いの『納曾利』の見どころである『合わせ』に進んだのだが、これが思った以上の難関であるようだった。

『双龍』とも呼ぶこの舞楽は、雌雄の龍が楽しく舞い遊ぶ姿を表現するもので、踏み出す足の幅、かざす手の角度などが、つねに二人ぴたりと一致してこそ美しい。

それゆえに合わせ稽古による修練が必要な曲で、またその前提として、舞い手二人の力量が互角であることが求められる。おなじ振りを舞っても、舞い手としての力に差があれば、連れ舞いの釣り合いがうまく行かない。

『破』の舞いを二度くり返させて、真倉は（だめだ）と思ったらしい。二人の並び方を変えるよう指示してきた。

「おそれ入りまするが、国経様はしばし業平様の後ろにお付きください。お歳の功で業平様のほうが形ができておられますので、国経様にはしばらく業平様の舞いを見習っていただきます」

「道理だな。へたくそにもほどがある」

と業平は真倉に賛同し、国経はいたくムッとしている顔つきで抗議した。

「わたしはこのあいだ一人舞いで『納曾利』を舞ったのだ。業平殿よりできていないということはないはずだ」

だが真倉は、楽や舞いに関しては一歩も引く男ではない。

「お言葉でござりまするが、この真倉の目には『上』と『中』ほどの違いが見えております」

ぴしりと言い放って、カッと頰に血をのぼせた国経の様子にもひるむことなく続けた。

「むろんその差は、お二方が舞ってこられた年数の差に由縁するものでござりまするが、二人舞いをなさる以上は、国経様にはぜひともその差を追いついていただかねばなりません。このまま本舞台に上がられますれば、ご無礼ながら、あきらかに見劣りがいたします」

「そこまで申すかっ！」

怒鳴った国経は、舞いの道具である桴《ばち》を投げ捨てると、身をひるがえした。

「逃げるのか」

と言ってやった業平に、形相もすさまじく振り返った。

だが業平には、相手をしてやる気はない。冷ややかに言ってやった。

「それならそれでかまわぬが、主上《おかみ》に『国経は舞えません』と言上《ごんじょう》しておいてくれよ。でないと俺まで迷惑する」

「ええ、申し上げますよ！」

国経は癇性《かんしょう》を剝き出しにして怒鳴ってきた。

「あなたのような無礼な人との連れ舞いなどできぬと申し上げて、辞退させていただきます！」

「ならばけっこうだ」

業平はうなずいて見せて、真倉に目をやった。

「このような次第ゆえ、誰ぞ代わりの舞い手を見つくろってくれぬか」

「それはなんとでもいたしまするが……」

「主上のお声掛かりを無にするのは心苦しいが、国経殿は『舞えぬ』と言うのだからしかたがない。また主上も、右大臣への愛想と思うて仰せ出されただけのことだから、国経殿がみずから辞退するぶんには、とがめもなさるまい。

代わりの舞い手はいつなら用意できるか？」

真倉はそろりと国経を見やり、

「たっての仰せとあらば、明日にも」

とため息をついた。

「しかし、いかにも惜しゅうございまする」

「何がだ？」

「お二方の連れ舞いが成らぬことがでござりまする。

こたびの出来がよろしければ、引き続きお二方には近ごろ改作が成りました『青海波《せいがいは》』をご伝授申し上げ、初披露の演舞を願う所存でございました」

「それはあいにくだった」

業平はせいぜい気の毒そうに返した。

「だが国経殿には、童舞の域から上達しようという気はないとのことゆえ、その晴れの大役も辞退しておこう」

「か、勝手な解釈で話を進めないでいただきましょう！」

憤然と割り込んできた国経は、

「おや、まだおられたのか」

という業平のからかいに、ドンと床を踏み鳴らしてわめいた。

「あなたのそういうところが我慢ならぬのだ！」

「ほう？」

と業平は受けて立った。国経の子どもっぽさに、昨日からの不機嫌がむくりと苛立《いらだ》ちをもたげていた。遊びの濡《ぬ》れ事の相手に手に入れようかといった気は失せたぶん、国経のいかにも藤原一門くさい小面憎さは、うっぷん晴らしに格好の贄《にえ》だ。

「我慢ならぬ、とは聞き捨てならない言いようだが、いったい俺のどこがそこまでお気に障《さわ》ったのか？　後学のために、ぜひくわしく聞かせていただきたいものだ」

「人を人と思わぬ無礼なからかい方ですよ！」

国経は真っ向からたたきつける調子で答えてきて、業平は、

「はて、覚えがないが」

と、とぼけて見せた。

「俺は、人は人と思うてからかっているぞ。犬やら猫やらをからこうても何の妙味もない」

「それですよ、そういう言い方がふざけている！」

「ああ、俺が愛想を尽くして花よ蝶よと扱わないのが気に入らないというわけか」

業平はせいぜい呆れたふうに苦笑して見せ、言い継いだ。

「花と惚《ほ》れ、蝶と捕らえようと文などいたせば、そなたは背の毛を逆立てて怒るゆえ、わざと控えているのだがなあ」

「そ、その文といったことが！」

「だがそなたと会う時ゆえ、こうして新調の直衣を着込み、烏帽子も念入りに調えてきたのだよ」

「い、いらぬことです！」

「やれやれ、つれない」

「そうやって人をからかって、何が面白いのだ！」

「はて、国経殿には人をからかう楽しさをご存じない？」

余裕たっぷりに言ってやると、国経は激昂《げっこう》のあまりに言葉を失った体でぱくぱくと口だけ動かし、しかも目元には悔し涙をにじませている？

「わかったわかった、泣かずともよかろう」

わざと供の者たちにも聞こえる声で言ってやって、キッと睨《にら》みつけてきた国経に、戸口のほうへと顎をしゃくってみせた。

「帰るのだろう？　出口はあちらだ」

それから真倉に向かって言った。

「今日このあとは俺の稽古とさせてもらう。よいな」

「けっこうでございます」

「どこから行く」

「登壇からどうぞ。舞台に置く最初の一足が、まだ盤石《ばんじゃく》の定まりではございません。また端々に、勢い余りて荒くなられる癖が見受けられます」

「わかった。では頼む」

業平にとって舞いは、のめり込むほど好きな趣味というわけではない。むしろ最初はしかたなく始めたことだ。官人として身を立てるのに必要な漢籍を学ぶよりも、武道に励むのを喜びとする息子の将来を案じた父親王から、「たしなみとして一通り学べ」との命令がなかったら、おそらく舞いなど手もつけずにいただろう。

だが父の厳命でつかされた師匠の、「なさる以上は公達《きんだち》一の舞い手を目指されませ」というハッパ掛けに、生まれついての負けず嫌いを触発された。

そして始めてみれば、舞いは武の道にも通じる奥深さを備えた技芸だった。弓術でも馬術でも基本となる『腰』の据えは、舞いにも共通して求められ、また舞いの振りを美しくあざやかに決めようと思えば、鍛え上げた筋肉をなめらかに使いこなせなければならない。そしてそれはまた、弓を引く時や太刀を振る時の身のこなしに応用できるものでもあるのだ。

最初はいやいやだった舞いの稽古は、いまでは、やるとなったら真剣に取り組む修練となっていて、その点、妥協を許さない真倉の指導は願ってもない機会だった。

「その踏みが荒い！　『納曾利』は龍神の舞いですぞ、軽やかにして重々しく、重いといえども鈍くはならず、力強さと華麗さをともに舞い表わさねばなりませぬ！

違う違う、『力』は身内に溜《た》めるのです！　溜《た》めた力で、天に舞い上がるため地を踏みしめる形になさねば、踏まえは力士のしこになります！

ああ、その振りその振り！　龍は水に属するものですぞ、水ですのじゃ、水！　水の流れるさまを思いなされ、滔々《とうとう》となめらかにとどこおることなく……まだ固い固い！」

いつしか業平の背は汗に濡れ、烏帽子の縁も汗を吸ってじっとりと湿っていた。

腰の据わりを腹で支え、踏み出す足、差し出す手の小指の先まで気を配り、ただ一心に真倉の指導に応えようと励む業平の目には、まだそこにいる国経の姿は見ても見えていない。

「それまで！」

という真倉の声に、舞いやめてホッと息をついて、（なんだ、まだいたのか）と気がついた。

(ぐずぐずと、暇なことだ)と思った。

「おおかたの形はできてまいりましたが、いまからが精進のしどころです。次の稽古まで、日に一刻ずつの独り稽古をお積みください」

「相わかった」

「稽古の折には心気澄ませ、集中してなさいますよう」

「心得る」

「では、本日はしまいといたします」

「世話をかけた」

真倉に桴《ばち》を返しに行こうとして、足がよろよろとなった。

「やれ、この始末」

と苦笑した。

「すまぬが、しばらく休ませてくれ」

「ただいま白湯《さゆ》など運ばせましょう」

「ああ、水でいい」

舞台を下りたところでどっかと腰を下ろし、改めてフウウと息をついた。

まだいると知れば目障りである国経を見やって、

「内舎人殿には、よほど暇とみえるな」

とイヤミを言ってやった。

「もう帰るところです」

国経はなにやら力のない声で言い、くいと肩を張ると、踵《きびす》を返して出ていった。

「やれやれ、何をしておったのやら」

楽生《がくしょう》らしい少年が水差しと椀を運んできて、業平は三杯飲み干した。

太鼓を片づけに行っていた真倉が戻ってきて、しぶい顔で尋ねてきた。

「国経様のご辞退は動かぬのでしょうか」

「だろうな。いっそ千寿にでも舞わせるか」

「背丈が釣り合いませぬし、重陽節《ちょうようのせつ》までに仕込むのはさすがに無理でございます」

「そうか。では人選はそちに任せる」

言って「さてさて」と立ち上がった。

「光正、屋敷に戻るぞ」

「ははっ」

「先に戻って湯を立てさせておけ」

「かしこまりました」

「舞い手が決まったら知らせてくれ。つぎの稽古はそれからだ」

「かしこまりました」

舞殿を出れば、空はもう茜《あかね》色に染まっていた。歩き出して、烏帽子が傾いているのに気づいて、ひょいと直した。舞いの稽古で思いきり汗を流したおかげで、だいぶ気が晴れていた。

烏帽子も傾けば髪もほつれている業平殿の後ろ姿を、国経は、出てはきたが何となく去りがたくていた雅楽寮の扉の陰から見送っていた。

十六の時に見習いに入った内舎人への任官を得てから、かれこれ一年。そのあいだに朝臣《あそん》業平の噂はいくらも耳にしていたが、どちらも帝の側近である蔵人と内舎人という部署にありつつも意外と接点は少なく、仕事上の事務的な言葉を交わすぐらいがせいぜいだった。

一度か二度、宿直《とのい》をともにしたことがあったが、中務省と蔵人所の関係というのはそれとなく張り合うような雰囲気があり、また朝臣業平は藤原嫌いだという風聞もある。こちらからは近づかず、あちらから声がかかるでもなかったので、たがいに敬遠し合ったようなぐあいで話もせずに済ませていた。

それがこの夏のころから、業平殿がやたらとかまってくるようになり、それも色情がらみの言い方でからかってくる。

理由はわかっていた。こちらが千寿丸にちょっかいをかけた、その意趣返しだ。

だが業平殿のやり方というのは、一つ投げた石に十も投げ返してくるような調子で、いつの間にか国経は、しつこく言い寄る業平殿との攻防にかまけさせられ、良房叔父の言いつけでもある千寿丸への口かけは、すっかりお留守になってしまっていた。

宮中で見かける千寿丸は、いつもパタパタと走りまわっているし、あれ以来中務省に書状を届けに来ることもなく、こちらから捕まえようにも、蔵人所かその町屋にいるか、あるいは諸兄殿や業平殿の供をしているかで、手を出すどころか声をかける機会もない。

それとは逆に、こちらはなぜか業平殿と遭遇する場面が多くて、会えば懲りない目くばせやら意味ありげな含み笑いやらに悩まされる。

最初は取り合わないでいた国経だったが、三回、五回、七、八回と重なり、たなばたの日にはついに文まで寄越されて、我慢できずに面と向かっての抗議に及んだ。だが案の定、そうした反応は業平殿を喜ばせただけのようで、しかも折悪しく帝のお声掛かりで『納曾利』を連れ舞うことになったのは、国経としては不本意極まりないことだった。

そうした積もり積もった憤懣《ふんまん》が、国経にあの夜の暴挙をけしかけたのだが……

いま国経の胸の中には、奇妙な感情が芽生えていた。

去って行く業平殿の後ろ姿を見送りながら思っていたのは、

(いったいどういう人なのだろう……)

平城帝《へいぜい》の第一皇子《おうじ》・阿保《あぼ》親王の五男で、母は桓武《かんむ》帝の皇女・伊都《いと》内親王。血筋で言えば皇位継承順位に与かり得る立場だが、『薬子《くすこ》の変』で平城帝の皇統は日陰に追いやられることになり、業平は二歳の時に、行平《ゆきひら》ら三人の兄たちとともに『在原《ありわら》』姓を賜って臣籍に下った。

その後、父の阿保親王は『承和《じょうわ》の変』に関わって、現東宮の道康《みちやす》親王が立太子する道筋を作ったが、変後は邸宅に閉じこもって一度も出仕《しゅっし》しないまま、その年のうちに死去。そのふるまいから数々の憶測が飛んだ……といったあたりは、国経が九歳のころに起きた出来事で、近ごろ改めて父の長良《ながら》から聞いた話である。

「あの派手派手しい色好みは、世に出るすべがない身のうっぷん晴らしだと良房は言うているが、わしの見たところでは、祖父の帝が患われた風病（一種の精神疾患）のようなものよ。このごろは女だけではなく美少年趣味まで発揮しておるそうで、まさしく常軌を逸しておる。大納言《だいなごん》のところの息子のように、いい歳をして女に通う道も知らぬようなことでも困るが、在五将監の無軌道な荒淫《こういん》ぶりもけっして真似てはならんぞ。おまえはいずれ藤原北家の長者になる身ゆえな、浮き名を流すにも家名を上げる女を選ぶぐらいの心がけをせよ」

……浮き名に魅かれる女たちのほかには朝臣業平をよく言う者はいない……というふうに、これまで国経は思っていた。しつこくからかわれるハメになって、噂どおりの風狂じみた男であることに辟易《へきえき》し、そんな人物を側近に置いておられる帝のお考えに首をかしげた。連れ舞いせよという仰せに従わなくてはならぬ身がいやでならなかった。

だが……いま思えば浅はかな愚挙だったあの夜の事件での業平の態度や、その後のふるまいや、見ているつもりなどなかったのについ最後まで見入ってしまっていたあの稽古が、国経の胸に疑問を芽吹かせていた。

見ていたあいだに何度も、（あれは誰だ？）と感じた。

顔が合えば、へらへらとらちもないことを言いかけてくる、あのいかにも節操なしの色好み殿とは思えないような、真剣な顔、きびしい稽古姿……真倉の容赦ない叱咤《しった》に黙々と応じて、ひたすら自分の舞いを磨くことに専心していたあの男は、国経の知る朝臣業平ではなかった。

いや……知らなかったわけではない。ああした業平殿を以前にも見ている。騎射《うまゆみ》の馬場で、競馬《きそいうま》の真手結《まてつがい》で、自分は何度かああした顔の左近将監を見ていた。だが、すっかり忘れていたのだ。宮中で出会う束帯姿の彼は、馬場での凜々《りり》しさなど片鱗《へんりん》もないニヤけた男だったから。

（いったい、どういう人物なのだ）

と、ふたたび思った胸の中には、もう答えが宿っていた。

（とんでもない曲者。そして……）

だがその先に続きかけた言葉は認めることなどできないもので、国経は（ばかなことを！）と腹の奥底に押し返した。

いまをときめく藤原北家の嫡流《ちゃくりゅう》である自分が、はずれ者の朝臣に心魅かれるなど、ばかげたふるまいでしかあり得ない。

「逃げるのか」と言った業平殿の声音が耳によみがえり、国経は唇を噛んだ。

だがむろん、ああまで言い切った前言を撤回などできない。

後ろでオホンッと咳払《せきばら》いしたのは、供の者。まだ帰らないのかという、僭越な催促だ。

「うるさいぞ！」

と叱りつけて帰路へと足を踏み出した。

そう言えば、今日は宿直の番だ。

（まさか業平殿と一緒ではあるまいな）

と思い、そこまで運の悪いめぐり合わせではないことを心の底から願った。


そして、その夜半。帝《みかど》が御寝《ぎょしん》の間《ま》に入られたあと。

宿直《とのい》の間に引き上げた国経《くにつね》ほかの面々は、暁までの長い夜を起きて過ごすための取りとめのないよもやま話に、少し飽き始めていたころだった。

たすたすという急ぎ足の足音が縁をやって来たと思うと、束帯《そくたい》姿の諸兄《もろえ》殿が宿直の間に踏み込んできた。さっと面々を見渡し、蔵人《くろうど》仲間の紀貞守《きのさだもり》殿に歩み寄った。

「お召しを受けて急ぎ参上しつかまつった。主上《おかみ》への取り次ぎを頼む」

「ふむ？」

貞守殿は丈高い同僚を見上げ、

「何のことじゃ？」

と首をかしげた。

「主上から『火急に参内《さんだい》するように』という使者をいただいたのだ」

「いつのことだ」

貞守殿が聞き返した。

「およそ一刻ほど前だ。双《ならび》ヶ岡《おか》の別邸にいたので手間取った」

「知らぬぞ」

貞守殿は言い、国経らを振り向いて確かめてきた。

「一刻ほど前というと、まだわれらが御前に侍っていたころですが、使者など出してはおりませぬよな？」

「おう、知らぬ知らぬ」

左近衛《さこのえ》の源《みなもとの》少将《しょうしょう》が首を横に振り、国経もうなずいた。

「まことか？」

諸兄殿はぎゅっと眉《まゆ》をひそめて一同を見渡し、国経と目が合うと、ひたと視線を留めた。

「まこと主上には、使者は出されておられぬか？」

目は国経に留めていたが、諸兄殿が聞き確かめたのは国経にではなく、貞守殿が答えた。

「われら宿直の者が参内してからは、使者など出されておらぬ。その前であるとしたら」

言いながら腰を浮かせて、立ち上がった。

「尚 侍《ないしのかみ》に尋ねてこよう」

「ああ、頼む」

帝がお寝《やす》みになられたあとの殿内はひそと寝静まる定めであるが、宿直番の女官《にょかん》は、国経たちとおなじように御寝の間のひかえで夜を明かす。

貞守殿から宿直の内侍《ないし》に伝えられた尋ね事が、尚侍からの返事として戻ってくるまでには、かなり時間がかかり、そのあいだ宿直の間は重苦しい雰囲気に包まれていた。青ざめた顔をこわばらせていらいらと返事を待っている諸兄殿のようすが、見るからにただごとではなかったからだ。

やがて内侍所に使いに行ってくれた女官が戻ってきたが、持ち帰ってきた返事は、

「尚侍お二方とも、そのような使者はご存じないとのことでござりました」

「間違いなかろうな?」

貞守殿が問い、

「たしかなお返事でございます」

という答えが返った。

「とのことだぞ、諸兄殿。おぬしの屋敷からの使者を思い違えたか何かではないのか?」

「いや。帝のお使者であると、たしかに名乗った」

「みょうな話だ。そもそもよほどの大事でないかぎり、夜中に使者を走らせるなどせぬ。われらや尚侍らが知らぬはずはない」

「そのとおりだ」

こわばりきった表情でうなずいた諸兄殿が、

「国経殿」

と呼んできた。

「ちと」

と頭を振って縁へ出ていったのは、二人だけで話したいということらしい。

国経は（なぜ？）と眉をひそめつつも、諸兄殿を追って縁に出た。

宿直の間からは見えないあたりまで来たところで、くるりと振り返った諸兄殿にいきなり胸倉をつかまれた。

「なっ!?」

「おぬしのしわざか!?」

「え？」

「おぬしのしわざかと聞いている！　偽の使者を使って俺を内裏《だいり》に呼び戻したのは、おぬしか！」

思いがけない疑われ方に、カッとなりつつ言い返した。

「知らぬ！」

「わたしは何もしていない！」

そう続けて、（ああ）と悟った。たなばたの夜のあの件が、疑いを引き寄せたのだ。

「天地神明に誓って、わたしは何もしていません！　あの時はたしかに叔父の名を騙《かた》りましたが、いくらわたしでも主上の名を騙るなどという大罪までは！」

「……そうか」

諸兄殿はがっくりと肩を落とし、

「では誰が！」

とはらわたを振り絞るような声で吐き出した。

「い、いや、こうしてはおれぬっ、あの家には千寿《せんじゅ》一人っ」

口早につぶやいて、だっと駆け出そうとした諸兄殿の袖《そで》を、とっさにつかんだ。

「お待ちを！　千寿丸がいかがか!?」

「あやうい！」

と叫び返してきて、諸兄殿はつかんだ袖を国経の手からもぎ取り、走り去った。

「千寿丸が？　あやうい……とは？」

だが諸兄殿のあの形相や、御寝の間を騒がす非礼も忘れた駆け去りぶりは、尋常ではない。

「いったい何が起きたというのだ」

もしも国経が、たなばたの宴での千寿をめぐる一幕をつぶさに見聞きしていたら、それなりの推量を持てただろう。

だが上段の間からは遠い下座にいた国経には、あの時の帝と千寿のやり取りや公卿《くぎょう》たちのようすは目にはできず耳にも届かず、すなわち千寿の身の上への推測は何一つ持てていなかった。だからこそ、あの晩のああした暴挙におよんだわけだが……

何が起きているのか皆目見当もつかないが、胸騒ぎはふくらむばかりの一夜を過ごして、宿直の任を終えた暁。清涼殿《せいりょうでん》を下がったその足で、国経は蔵人所町屋《くろうどところまちや》に駆けつけた。

「諸兄殿はお戻りか！」

「いいえ、まだお戻りではございません」

「では業平《なりひら》殿はおられるか!?」

「本日はお屋敷からのご出仕《しゅっし》とうかがっております」

「くっ！」

もう蔵人所に来ているはずだと校書殿《きょうしょでん》に向かった。

「いえ、まだご出仕になられておりません」

「遅参かっ。ええい、ええいっ」

業平の屋敷は東三条《ひがしさんじょう》。国経は束帯姿のまま内裏の門を出た。

急ぎ足には向かない着物をバサバサと鳴らして急ぎながら、（なんでわたしがこんなにあわてているのだ）と自分に問いかけた。

千寿丸に何かあったらしいからだ。諸兄殿のあわてぶりがただごとではなかったからだ。もしかすると、千寿丸の命に関わるような一大事が出来《しゅったい》しているのかもしれないからだ。

(それはわかるが、なぜ業平殿に会おうとしている？)

……あの人ならば、何が起きているのか知っていそうに思えるからだ。

(千寿丸が心配だからだ。事が千寿丸についてだから、わたしはこうして急いでいるのだ)

自問に自答しながら国経は、あの夜の無邪気に酔っ払っていた千寿丸を思い出していた。

見目美しく、聡明で気が強く、惚《ほ》れ惚れとするような舞い姿を見せたかと思えば、カガチを素手で捕まえるような勇猛さもあって……つんと澄まして見せる顔、嫌悪もあらわにプイッと横を向く顔、口惜しそうに睨《にら》み上げてくる顔、かしこまった場面の緊張したまじめ顔……いつでも生き生きとはじけるような元気ぶりの千寿丸が、あの夜は、まるで甘ったれの子猫のようだった。

甘い蜜入り酒のせいですっかりご機嫌で、いつもの警戒心はどこへやら。無防備な愛らしさを惜し気もなくさらけ出して……

「あれあれ、天井がまわりまする」

と指さして、可笑《おか》しそうに楽しげにケラケラ笑った顔を思い出せば、あの時と同じように頬がゆるむ。

可愛《かわい》い、と……たまらずに愛《う》いと思った……こういう千寿丸を手に入れたいと思った。いつでもこんなふうに愛らしくなついていてくれるなら、さぞや楽しかろうと。

(だが千寿丸は、あの男のものなのだ)

思って、国経はぴたりと足を止めた。

……そうなのだ。千寿丸はあの藤原《ふじわら》諸兄のもの……

「はっ！　ばからしいっ。わたしとしたことが、ただの他人事《たにんごと》で何を熱くなっているのかっ」

独り言を吐き捨てて、（まったくばかばかしい！）と思った。

身を揉《も》むほどに心配してみたとて、千寿丸はすでに諸兄のもの。割り込む隙《すき》もないことは、あの時に思い知らされた。

こちらはどれほど好きでも千寿丸には関係ないのだから、自分が千寿丸のために心配したり駆けまわったりして何になる。

（ばかげた徒労というものだ）

そう思い決めて、業平の屋敷に行くつもりだった足を、わが屋敷への道へと返そうとした。と、ちょうどその時。むこうから業平殿がやって来るのを見つけた。

遅参だというのに、急ぐでもなく悠々とした足取りで道をやって来る位袍《いほう》姿を見た瞬間、国経は思わず手を上げて大きく袖を振っていた。

やってしまってから（うっ！　な、何をわたしはっ）と気づいて急いで手を引っ込めたが、業平殿には見られてしまったようだ。

（昨夜の一件を耳に入れるだけだ）と自分に言いわけして、業平殿がこちらに来るのを待った。自分のほうから行くというのは、ばかげた真似の上塗りのような気がしたので。

やがて国経のところまでやって来た業平殿は、

「何か用か」

という愛想のない一言を無表情に口にしただけで、すっと通り過ぎて行こうとした。

「お待ちあれっ」

と袖をつかんだ。

「出仕に遅参している」

冷ややかに言った業平殿は足を止めてもくれなかったので、しかたなく追って歩き出しながら言った。

「わかっています。ですが千寿丸のことで」

「橋渡しなどせぬぞ。俺は諸兄の味方だ」

「そうではなくっ！　何か起きたようなのです。昨夜遅く、宿直の間に諸兄殿が来られて」

「ふむ?」

業平殿はじろりと国経を見やってきたが、立ち止まりはしなかった。しかし話を聞く気にはなったらしい。そこで国経は歩き話に、昨夜の顚末《てんまつ》を告げた。

「宿直が明けてから蔵人所町屋に行きましたが、諸兄殿は戻っておられず」

「ああ、双ヶ岡に馳《は》せ帰ったのだろう」

「千寿丸があやういとは、いったいどういうことなのですか?」

「言葉のとおりさ」

飄々《ひょうひょう》とした口ぶりで言って、業平殿はつけくわえた。

「いまごろは殺されているか、あるいは」

国経は仰天した。もしやと思わないではなかったが、はっきり言葉にされたそれはあまりに衝撃的な危惧《きぐ》だった。

「こっ、殺されて!?　なぜ！」

「千寿に生きていられてはつごうの悪い人間がいるのだな」

「だ、誰です!?」

「それがわかれば苦労はしない」

相変わらず歩きながらに飄々とした返答をする業平殿の態度が、国経をカッとさせた。大股に業平殿の前にまわり込んで、位袍の胸をつかんだ。

「ええい待たれよ！　なぜ平気なんです！　なぜ心配しない!?」

「おぬしこそ、なぜそう熱くなっている？　横恋慕は無駄だと教えてやったはずだが」

「だから千寿が死んでもいいと!?」

「おぬしには関わりないことだろうと言っている」

「ありますよっ、一度は手飼いにしたいと思うた子猫だ！」

「ふっ」

と業平殿は鼻で笑った。

「だがあれは、おぬしの手を引《ひ》っ掻《か》いて逃げた」

「ええ、そのとおりですよっ。おまけにもう飼い主付きだ！　しかしっ！」

「好きか」

「え……」

「千寿に惚れたか」

「あ……」

「良房《よしふさ》の耳打ちにしたがってのことではないと言うのなら、手伝わせてやってもいい」

「え？　あ？」

何を言われているのか呑み込めなくて、目を白黒させてしまっていた。

業平殿がすっと立ち止まり、先ほど会ってから初めて、まともに国経を見やってきながら言った。

「おぬしが、嘘のない自分の気持ちとして千寿を好きだというなら、諸兄の手助け、手伝わせてやってもいい。

ただし、この一件の企み主は、おぬしの叔父の右大臣《うだいじん》良房か、あるいは父の権中納言《ごんちゅうなごん》長良《ながら》であるかもしれぬ」

「えっ!?」

「それでも千寿のために何かする気があるのなら、ついて来い」

そして業平殿は歩き出し、気がつけば内裏へ向かう道から逸《そ》れて、大内裏の中を西へ向かっているのだった。

「どこへ行かれる?」

「左馬寮《さまりょう》だ」

「馬で、双ヶ岡へ?」

「まったくの愚鈍でもないのだな」

言った業平殿が、ふと思い出したという顔で、供の若者を振り向いた。

「光正《みつまさ》、蔵人所へまいって、業平は急な物忌《ものい》みで出仕を取りやめたと言上《ごんじょう》しておけ」

「ははっ」

「それが済んだら、蔵人所町屋にてひかえておれ」

「かしこまりました」

左馬寮に着くと、業平殿は馬の支度を言いつけた。

「ああ、『相模《さがみ》』だ。急いでくれ」

命を受けたひげ面の雑色《ぞうしき》が、

「そのなりで行かれますか」

と呆《あき》れ顔をした。

「着替えている暇がない」

業平殿は言って、雑色に命じた。

「なんぞ襷《たすき》に使える物をくれ。荒縄でもかまわん」

「いったい何事でございますか」

雑色がきつい東国訛《なま》りで聞き返し、国経は「さっさと言われたとおりにしろ」と怒鳴りつけたくなったが、業平殿は苛立《いらだ》つふうもなく言った。

「そうだな、頼直《よりなお》、おまえにも来てもらうか。千寿に何やら大事が起きたらしい」

「ほう」

ひげ面の雑色は太い腕の先の日焼けしたごつい手をぐっと握り締め、

「ぜひお供を」

と言い置いて、ずしずしと急ぎ足で廏《うまや》の中に消えた。

「それで？　おぬしはどうする」

どうでもよさそうに聞かれて、国経はろくに考えもしないまま、

「行きます」

と答えた。

「良房らを敵にまわすことになるのかもしれんのだぞ」

「叔父上が千寿丸を害する理由などありません。ほかの者のしわざです」

「だといいがな。で？　俺と頼直は馬で行くが、おぬしは自分の足で走っていくのか？」

「あっ、い、いや」

国経はあわてて馬を調達しにかかった。


束帯姿の二人と供の頼直とが、駒《こま》をつらねて双ヶ岡の山荘に向かったころ。

諸兄は、半夜にわたる必死の捜索をまったくの無駄骨に終えて、これまた山荘へと戻る道を取って返していた。

宿直の間からまっしぐらに左馬寮へ駆け、そのまま『霧島《きりしま》』にまたがって飛び出してきたので、諸兄もまた威儀整えた束帯姿である。

そんな諸兄が目を血走らせて馬を急がせていくさまを見た、沿道の農夫や道行く地下《じげ》の者たちは、いったい何事が起きたのだろうかと不安げに顔を見合わせた。

「ありゃあ偉いお役人のようだが」

「えらく急いで馬を飛ばして行かれたのう」

「どこかで戦《いくさ》でも始まったのか？」

「そんな噂は聞いておらんぞ」

あれから一晩中、あちらの道か、こちらへ行ったかと走らせ続けてきた『霧島』は、疲れきってびっしょりと汗をかき、口からは泡さえ吹いていたが、諸兄には馬へのいたわりなど思う余裕もなかった。

ドカカカッと山荘の門の前まで駆け着いて、

「やっ!?」

と目を瞠《みは》った。

垣につないである三頭の馬。その一頭は雪のような白馬で。

「業平殿か！」

怒鳴りながら鞍《くら》から飛び降り、門の中に駆け込んだ。

業平殿は寝所の間の縁に立って、庭に這《は》いつくばった雑色水干《すいかん》姿の男に向かって声をかけたところだった。

「どうだ、わかるか」

「さよう……」

言いかけて男は諸兄を振り向き、すっと頭を下げて見せた。

「おう、頼直か」

「どこへ行っていたのだ」

業平殿が声をかけてきて、諸兄は「それよ！」と縁先に駆け寄った。

「千寿がっ」

と言いかけた諸兄に、業平殿は言った。

「おぬしがうかうかとだまされて出かけたあと、姿を消した」

「そ、そうなのだっ」

業平殿は淡々と続けた。

「家人《けにん》夫婦は裏の離れ家で寝ていて、叫びも物音も聞いていない。千寿が乗ってきた『淡路《あわじ》』は廏につながれたまま。寝間と庭に何人かの足跡を見つけたが、どこにも血の跡はない。寝床にあったはずの衾《ふすま》が見当たらないから、声を出せぬようくるんで攫《さら》っていったのか、あるいはくびり殺した死体を包んで持ち去ったのか」

「そんなはずはない！　あれが、せ、千寿が死んだりなどするものか！」

わめいた諸兄に、業平殿が怒鳴り返してきた。

「二度目だ、諸兄!!　考え足らずでしくじったのは二度目だぞ！　なぜ千寿を独り残していった、愚か者めが!!」

諸兄はぐっと詰まり、どっと涙をほとばしらせた。

「わかっている、俺が悪い!!　全部俺が悪い!!　千寿が死んだら俺のせいなのだ!!」

吠え叫んでその場に倒れ伏し、諸兄は声を放って号泣した。

「千寿！　千寿よ！　どうして俺はそなたを独りになどして行ったのだろう！　考えなしだった、ばかだった！　主上の使者だなどという口上に手もなくたばかられて！　まるで疑いもせずにだまされて、まんまとそなたを攫われて！　ああぁっ、どうか生きていてくれっ、せめて生きていてくれっ！　千寿、千寿〰〰〰っ!!」

　ほとばしる自責の思いにこぶしで胸を殴りつけ、耐えがたい焦燥感に身も世もなく胸をかきむしって、諸兄は声のかぎりにおのれを罵《ののし》り、息のかぎりに泣きむせんだ。

　そして流し尽くせぬ涙も声も涸《か》れ果てたころ。

「頼直、やれ」

という業平殿の声に続いて、冠が脱げ落ちる勢いでザバッと浴びせられた一塊の冷や水。

「まだだな。国経！」

「は、はいはい」

　ふたたび頭上からザンブと水を浴びせられた。

「まだか？　まったく手のかかる男だ。頼直、もう一杯くれてやれ」

「ははっ」

大盥《おおだらい》いっぱいの水を三たび浴びて、何もかもずぶぬれになった諸兄の耳を、業平殿の叱咤《しった》の声が打った。

「さあ、少しはしゃんとしろ！　まだ泣き足らぬなら、やることをやったあとで続きを泣け。頼直、足跡から何かわかったか」

「わらじで足ごしらえをした男が四、五人。一人が千寿殿を担いで行ったようです。一つだけほかより深い足跡がござった。橋までは追えましたが、その先は南に向かったようだということまでしか」

「南というと、京の方角か」

「西へ向かう街道もござる」

「諸兄、そろそろまともな口がきけるか?」

と言われて、

「……ああ」

とうなずいた。

「おぬしはどこからどこまで探してきた」

「……北も東も、南も西もだ」

「馬飛ばしてか」

「ああ」

「たとえば追いついていたにもかかわらず、蹄《ひづめ》の音で敵に気づかれ、やり過ごされたとしたら、間抜けだな」

「……ああ」

とうなだれた諸兄は、

「そういう言い方はないでしょう」

と抗議した若い声に、ハッと顔を上げた。一瞬、千寿の声のように思ったのだ。

だが声の主は、業平殿の横に立っていた国経だったらしい。

「なぜ国経殿がいる」

と尋ねたら、

「ついて来た」

と業平殿が答えた。

「千寿探しを手伝うかわりに、あわよくばおぬしから千寿を巻き上げようとの企みだ」

「勝手な推量を言わないでください！」

と言い返した国経殿は、顔だちといい口ぶりといい、まるで十八になった千寿を見ているようで、諸兄は喉元《のどもと》に向かってぐうっと嗚咽《おえつ》が込み上げるのを覚えたが、（ええい、あとだ！）と力ずくで押し返した。

すう、はあと息をついて懸命に気を鎮め、聞いた。

「それで？　業平殿、俺はどうすればいい？　情けない話だが、いったい何をしたらいいのかわからん。教えてくれ、業平殿」

「まずは着替えろ。それから、めしを食え。話はそれからだ」

「そんな悠長なことは！」

「そらそら、その落ち着きのなさで何ができる」

「し、しかしっ」

「いいかげん腹を据えろ!!」

雷のような声で怒鳴り飛ばしてきた業平殿は、ついいましがたまでの落ち着きぶりとは打って変わった劫火《ごうか》のようなまなざしで諸兄を射すくめながら、ガミガミと続けた。

「千寿は攫われ、すなわちまだ生きている！　殺される気遣いがないとは言わんが、最初から殺《や》る気の襲撃ならば、千寿は死骸になってここに転がっているはずだからな！　千寿は生きている！　だが行方《ゆくえ》は皆目わからん！　だから探して見つけ出す！　返事は！」

「お、おう！」

「そんな腑抜《ふぬ》けた返事しかできないいきさまに千寿が見つけられるか!!」

「見つけるとも!!」

怒鳴り返して、諸兄はすっくと立ち上がった。

「何がなんでも探し出す。見つけて、取り返して、二度と離さぬ！」

「ならば、まずやることは！」

「着替えて、めしを食うっ。頼直！」

「はっ」

「『霧島』の世話を頼む」

「ははっ」

「それと、『淡路』に鞍を」

「すぐにっ」

間髪《かんはつ》入れぬ返事の心強さに、力が湧《わ》いてくる心地を覚えながら、諸兄はこのうえなく頼りになる友を見上げて言った。

「朝餉《あさげ》がまだならつき合え」

「俺はもう食うた」

食えない男は、顔つきも口調ももとの飄々とした調子に戻して言ってきて、つけくわえた。

「国経は、屁《へ》にもならぬ宿直明けの白粥《しらがゆ》しか食うておらぬゆえ、おぬしの食い残しでも恵んでやれ」

「いりません！」

と怒鳴った国経に、諸兄は（千寿なら、そこはドンと足を踏み鳴らしたな）と思って、また泣きそうにせつなくなった。

家人の翁《おきな》の介添えでずぶ濡れの位袍を狩衣《かりぎぬ》に着替え、髷《まげ》を直させ烏帽子《えぼし》を調《ととの》えると、ずいぶんと気持ちが落ち着いた。

翁の老妻が運んできた膳は、山盛りの強飯《こわいい》に一汁三菜という朝餉らしからぬ調いぶりで、諸兄は、凶事を防げなかったことへの老家人夫婦の悔いと詫《わ》びの思いを感じながら、食欲など失せている腹に精いっぱいまで詰め込んだ。

諸兄が力の源を食し終えたところで、業平殿がいくつかの質問と提案を言ってきた。

まずは、

「どうだ、少しは頭が働きそうか」

という質問。

「ああ。腹は落ち着いた」

「気はまだか」

「それは千寿が見つかるまで無理だ」

「よし、頭を使える程度には落ち着いたな」

「そのようだ」

と苦笑した諸兄に、業平殿が二つ目の質問をしてきた。

「千寿と衾のほかに失せた物はないか？　たとえば銭とか衣とか」

「ふむ」

諸兄は家人の老妻を呼び寄せて、衣などの紛失を調べさせる一方、寝間の棚に置いてあった自分の手箱を調べてみた。

「砂金の袋も銭の袋もない」

「では盗賊という線が考えられるな」

「盗賊……」

山城《やましろ》の以蔵《いぞう》の顔を思い浮かべながらおうむ返しにくり返した諸兄に、業平殿が言った。

「後ろで糸を引いたのは貴族でも、実際に手を下したのは、金で雇えるたぐいの連中かもしれぬ」

「ふむ？」

「市《いち》でやり合ったごろつきどものしわざということもあり得るか……」

「昨日、西の市で、千寿がかの拓尊《たくそん》の別当に攫われた時に関わった、遊び女《め》商いの大夫《たゆう》の一味と出くわしてな。犬王《いぬおう》組と名乗るごろつき連中だ」

「その線も追おう」

「だが俺を誘い出した男は、偽の使者とは思えぬ話ぶりだった。でなければ俺もだまされん」

「言葉遣いに訛りはなかったか？」

「そうさな……西国訛りがあった気がするが、耳に障《さわ》るほどではなかったな」

「馬で来たのだな？」

「ああ、それもだ。鞍やらは官馬の物だったから、疑わなかった」

「馬の特徴を何か覚えているか」

「ひたいに星のある栗毛だった」

「そちらは俺が調べよう。左馬寮か右馬寮《うまりょう》から出した馬なら、誰が乗っていったかわかるはずだ」

「では俺は、犬王組と、山城の以蔵に当たってみよう」

「以蔵とは？」

「千寿の知り合いの傀儡《くぐつ》の者で、商売は盗賊だそうだ」

「ほう？」

「以前、千寿が衛士《えじ》に襲われた時に救ってくれた男で、昨日の市での騒ぎでも、大夫の配下の遊び女どもに捕まっていた俺に、銭を撒《ま》けば追い払えると教えてくれた」

「だが味方とはかぎるまい」

と渋面を作った業平殿に、諸兄はじっくりと考えて「いや」と首を振った。

「敵とは思えぬし、盗賊が関わっているなら何か心当たりを持っているかもしれん。ともかく会ってみる」

「わかった。頼直をつれて行け。俺は国経とともに偽の使者から追える線を当たってみる」

「頼む」

国経が行動をともにするというのは、いまいち解《げ》せない感じがあったが、業平殿には考えがあるのだろう。

「夕刻までに調べられるかぎり調べて、俺の屋敷で落ち合おう」

「わかった」

「気をしっかり持って、短慮をするなよ」

「ああ」

「では俺たちは大内裏に戻る」

「俺は下京に行ってくる」

そんな言い交わしで席を立ち、それぞれの行動へと移った。

諸兄がまず目指したのは傀儡宿だった。以前一度訪ねたことがあったし、遊び女大夫の家や犬王組の住まいを探すには、地下の事情にくわしい者の手助けを得たほうがいいと思ったからだ。

もう暁から一刻以上がたって遅い朝となっていたが、以蔵はまだ寝ていたようで、諸兄たちの訪れに寝起き顔であらわれた。

「千寿が攫われた。力を貸してほしい」

開口一番、諸兄はそう切り出し、以蔵は顔色を固くした。

「攫われたってェおっしゃると……昨日のやつらですか?」

「わからん」

諸兄は、自分がおびき出された顚末《てんまつ》や、千寿と一緒に銭の袋が消えていたことなどを話し、

「そうした悪事を引き受けそうな者の心当たりはないか」

と聞いた。

以蔵はじっと諸兄を見返し、

「わしはお疑いにならないので？」

と聞いてきた。

「おぬしのしわざなら、いますぐ千寿を返してもらうが、違うのだろう？」

以蔵はふっと肩を落としてうなずいた。

「へい、わしじゃあございません」

「なれば頼む、どうか力を貸してくれ」

「あの子のまっすぐさは、あなた様の影響のようだ」

以蔵はそう苦笑し、

「お手伝いいたしましょう」

とうなずいた。

「そうか、ありがたい！　さっそくだが、例の大夫と犬王組の住まいを知りたい」

「やつらァ知らないと思いますがね。関わっていたとしても下っ端でしょうが、まあ行ってみやしょう」

少し待ってくれと言い置いて立っていった以蔵は、水干袴《ばかま》の腰に合口《あいくち》（短刀）を差し込んで戻ってきた。

「殿様方が太刀《たち》をお持ちでよかった。やつら相手にこれ一本じゃ、さすがに心細い」

それから、板壁の向こうにいるらしい誰やらに向かって怒鳴った。

「三蔵《さんぞう》どん、話は聞いていたな⁉　あんたのほうでも手配りを頼むぞ！」

「おう」

と答えたしわがれ声は、この宿の主のものだった。

「京の裏道小道にはめっぽうくわしい男なんで」

以蔵が言い、諸兄は「そうか」とうなずいた。

「もっとも千寿は、迷子になったというのではないのだが」

「裏道小道ってェのは、そこいらの道のことじゃござんせん。おてんとうさんに顔を向けられねェような暮らしをしている連中にくわしいって意味で」

「おう、そうか」

「へへっ、わかっておられぬ顔だ。まあ、殿様には縁のない世界のことでさァ」

「人買いどもの消息もわかるか？」

頼直が以蔵に尋ね、以蔵は「ほう」とひげ面の東国武者を見やった。

「あんたはちったァ話がわかるな」

「俺の在所では、見目よい童《わらわ》が行方知れずになれば、まずそれを疑う」

「そっちは三蔵が探りを入れてくれやしょう。こっちは大夫を締め上げてみるってことで」

「うむ」

二人は馬で、以蔵は徒歩《かち》で向かった先は、西八条《にしはちじょう》のしもじもが住むあたりだった。粗末な家々がごたごたと立ち並ぶ小路を、以蔵は自分の家の庭を行くような足取りで二人を案内した。

「このあたりは三軒に一軒が遊び女屋でござんしてね。殿様がモメてた女は、浪花《なにわ》大夫ってェ海千山千のやり手だ。犬王組の若僧どもは、あの女に顎《あご》で使われてるけちな連中で、たいしたことはできやしねェが、締め上げて吐かせるにはあっちのほうが早い。ま、先に見つかったほうから取っかかりやすがね」

「任せる」

諸兄は言ったが、とある小屋のような家で犬王を見つけた時、とっさに逃げようとした犬王を先頭切って追ったのも、襟《えり》がみつかんで捕まえたのも、諸兄だった。

犬王の顔を見たとたんカッと頭に血がのぼって、（こやつに違いない！）と思い込んだ。

「千寿はどこだ！」

「せ、千寿って？」

「とぼけるな！　昨日おまえたちが攫おうとした童だ、どこへ隠した、言え！」

「し、知らねェ！」

と叫んだ下品なごろつき顔を、固めたこぶしで殴りつけた。

「言え！　言え！」

と何度も殴りつけた。

「ひっ！　ひ、ひいいっ！　お、お助けを！　俺は何も知りやせんよお！」

「嘘を申すな！　さあ白状しろ！　殴り殺されぬうちに吐け！」

「お、お助け〜っ！」

犬王はヒイヒイと泣きわめき、以蔵が諸兄を止めてきた。

「どうやらこやつは本当に知らぬようだ。つぎへ行きやしょう」

「そんなはずはない！　こやつだ、こやつに違いない！」

「やれやれ、すっかり頭に血がのぼっちまってら。おい、ひげの旦那」

「うむ」

「さあさあ殿様、そいつを殴り殺したって何の得にもなりゃあしやせん」

二人がかりの力ずくで犬王から引き離され、以蔵と頼直にこもごも諭《さと》されて、やっと正気を取り直したが、犬若《いぬわか》を見つけた時にもおなじようなわれを忘れた激昂《げっこう》をやってしまい、諸兄は自分の抑えの利かなさにすっかり落ち込んでしまった。

「すまぬ、俺はだめだ。千寿のことを思うと、とても冷静など保てぬ」

「焦られるお気持ちはよくわかりますぞ」

頼直が肩をたたいて言ってくれて、以蔵が言い添えた。

「止め役にはわしら二人がおりやすからね、殿様は暴れていただいてけっこうでやすよ」

「すまぬ」

と諸兄は濡《ぬ》らしてしまっていた目をこすった。

大夫は市の店棚で見つけたが、さんざんてこずらされたあげくに聞き出せたのは、

「あたしから何か知りたかったら、銭をお出し」

というふてぶてしい言い分で、諸兄は思わず太刀を抜きかけた。

「まあああ！」

と以蔵たちが止めて来なかったら、でぶ大夫の首は太った肩と泣き別れをしていただろう。

「そういうことならだ、大夫。おめェに稼ぎ口をやろう」

以蔵が持ちかけたのは、

「千寿丸を見つけ出し、無傷でこちらの殿様のお屋敷に届けたら、銭十貫文ってェ話じゃどうだ」

「いや、百貫文でも払うぞ」

諸兄は言い、大夫はすうっと青くなった。

「ひゃ、百貫……」

「砂金がよければ金でもよい。千寿が無傷で戻るなら、褒美《ほうび》はおまえが欲しいだけ取らせる」

「き、金！」

大夫は目をまわしそうな顔をしたが、すぐにしぶとい目つきに戻った。

「けど、いくら景気のいい話も、話だけじゃあねェ。そっちがどこのどなた様だか、あたしゃあ知らないわけだし」

「俺は六位蔵人の藤原諸兄だ」

諸兄の名乗りに、頼直が言い添えた。

「大納言《だいなごん》様のご嫡男で、帝のご信頼厚い極臈《ごくろう》の蔵人様だ。本来なら、おまえなどが直答できるお相手ではないわ」

「へえっ……ほんとかい？」

「俺は嘘は言わぬ」

大夫は舌なめずりをしながら言った。

「まあ、あたしもね、あんたが反物やらの代価を砂金で払ったって話は聞いてるよ。それも持ってた金の半分だったってね。いいだろう。あの子はあたしがめっけてやるよ」

「頼む！」

と諸兄は頭を下げ、大夫はくふふっと笑った。

「ああ、いまので信用できたよ。卑しいあたしに頭を下げるなんて、ご身分のほうはますます怪しいもんだが、あの子を取り返したい気に嘘はなさそうだ。

それで？　見つけたらどこへつれて来いって？」

「東三条の大納言邸だ。門番には俺の名を言えばわかるし、千寿の顔も屋敷の者たちはみな知っておる」

「あれ、本物かい」

大夫はつぶやき、こそこそと着物の裾《すそ》を直した。

最初に手がかりをつかんできたのは、傀儡宿の主・三蔵だった。

「難波《なにわ》の鬼八《きはち》大夫という男が怪しいようでございます。人買い人売りをなりわいとする男でして、ここしばらく京に逗留《とうりゅう》しておりましたが、今朝がた急に出立いたしましたそうで」

「それだ！」

「うむ、怪しくはありやすがねェ」

「昨夜遅くに、手下の者たちが一稼ぎしてきたふうで戻ったそうで。宿の主の話では、今朝出ていった時には見かけぬ長櫃《ながびつ》が一つ、荷にくわわっていたとのことでございます」

「人が入れられそうな櫃かい？」

「十四、五の童なら入りそうな櫃じゃったそうだ」

「そりゃあ、追ってみる値打ちがありそうだ」

以蔵が言った時には、諸兄はもう立ち上がっていた。

「その者の行き先はわかるか!?」

「難波江の住吉《すみよし》の湊《みなと》に館を持っておるそうでございます」

「人買いが、館をか」

「鬼八大夫は人の売り買いもいたしますが、そもそもは瀬戸内《せとない》のどこぞの島を根城にしております海賊でして」

「海賊⁉　船を襲って交易品など奪い取る、あの海賊か！」

「もとは太宰府《だざいふ》の官人《かんじん》じゃったという噂ですが、こりゃあ真偽はわかりませぬ。しかし、奪った品々で高麗《こま》などと交易いたしておるとも聞いております」

「そりゃあ……たいそうな大物だ」

以蔵が唸《うな》り、頼直もうなずいた。

「そうした相手でござるなら、追捕《ついぶ》の兵を出したほうがよかろうかと存ずるが」

「しかし、こう申してはなんちゅうもんだが、攫われたのはたかが小舎人《こどねり》童《わらわ》千寿丸だ」

「いや、帝のお許しはいただけるだろう」

諸兄は言い、

「ほう」

「極臈の蔵人様というのは、そこまでお力が……」

と感心顔を見合わせた二人に、「いや」と前置きして打ち明けた。

「これは千寿にはけっして知らせぬ内密のことゆえ、ここだけの話として固く秘してもらうが、千寿はじつは嵯峨《さが》の帝の血を引く皇子《みこ》だ」

「へっ⁉」

「……ほう！」

「これ以上のことはおぬしらにも言えぬが、帝は千寿の身の上をご存じであられる」

「つまり、このたびの事件はただの人攫いではないということでござるか」

ひげをかきかきつぶやいた頼直に、諸兄は「むろんだ」とうなずいた。

「遊び女の大夫や犬王たちのしわざではなかったとなると、あとは千寿をじゃまに思う者の企みとしか思えぬ」

「如意輪寺《にょいりんじ》を追われた拓尊阿闍梨《あじゃり》の差しがね、とは考えなくてもええんじゃろうか」

以蔵が言い出した新機軸は、諸兄を青ざめさせた。

「そう申せば、その線もあったかっ」

もしもこれが拓尊のしたことならば、千寿が生かしたまま攫われていったのは、目の前でなぶり殺すためかもしれない。

「頼直！」

「はっ！」

「急ぎ内裏へ戻り、拓尊の消息を調べよ！」

「ははっ」

「俺はともかく鬼八大夫を追う」

「お一人ででござるか!?」

「そりゃあ危ない！」

「だが拓尊の調べがつくまで待ってなどおれぬ！」

「内裏へはわしがまいりやしょう。頼直様は殿様のお供を」

以蔵が言い、頼直もうなずいた。

「だが、おぬしに調べができるのか？」

「なあに、なんとかいたしやす」

「そうかっ、業平殿に頼もう！　蔵人所の在原《ありわら》業平殿に話を伝えよっ」

「うけたまわりやす！」

かくして以蔵は内裏に、諸兄は供の頼直と馬をつらねて住吉湊のある難波江に向かった。

だが、街道を馬で飛ばしていく二人は、重大な見落としに気づいていなかった。交通の手段は陸路だけではなく、船を利用した水運の道もあるということを。


千寿が目を覚ましたのは、いたく乱暴に頬をつねられたからだった。

「おい、起きたか！」

と男のガラガラ声が言い、千寿はハッと目を開けた。

「よしよし、まだまだ元気はあるな」

節くれだった太い腕も猪首《いくび》の上の四角い顔も真っ黒に日焼けした男は、足を曲げて横たわる格好で長櫃に詰め込まれている千寿をぐいと抱き起こし、口を封じていたさるぐつわを解いた。

「めしだ。食え」

千寿はすばやくあたりを見まわし、がっくりと肩を落とした。

男がさるぐつわを解いたのも道理。千寿が入れられた櫃は川に浮かんだ小舟に乗せられていて、川の両岸には背の高い蘆《あし》がびっしりと生い茂っている。たとえ叫んでみても声が届くあたりに人がいるとは思えない、寂しい風景のさなかにいたのだ。

男は手にしたにぎりめしを千寿の口元に差しつけてきて、つまりは口でかぶりつけということらしかったが、千寿は首を横に振って言ってみた。

「これでは食べられぬ。腕をほどいてくだされ」

「そりゃだめだ」

三十がらみの男はあっさりと言い、スンと鼻を鳴らして言い添えた。

「お頭《かしら》から縄は解くなと言われておる」

「このような川の上では逃げたりはできませぬ。腕が痛いのです、どうかしばらくだけ解いてくだされ」

だが男は頑として聞いてくれず、千寿はあきらめてにぎりめしを食わせてもらった。どうにか逃げ出さなくてはならないが、それには腹をへらしていては不利だからだ。

にぎりめしを食べさせ終えると、男はまた千寿にさるぐつわをかませ、前とおなじように横たわらせて櫃の蓋《ふた》を閉めた。

狭い櫃の中に身動きもならず押し込められているのはたいそうつらくて、いつしかまた気が遠くなっていたようだった。ゴツンと揺さぶられて目が覚めた。

「おい、何をやってる！　気をつけて運べと言うただろう！」

キイキイとかん高い声が叫び、

「へえい！」

「すんません！」

と答えたのは、どちらも若い声。

ゴトッと蓋の上で聞こえたのは、取っ手に通した担ぎ棒が立てた音のようで、ゆらと揺れたのは櫃が担ぎ上げられたのだろう。ゆらゆらと揺れは続き、いつまでも続き……

つぎに目を覚ました時、千寿はまた船の上にいた。こんどは小舟ではなく、十人ほどの女や子どもと数人の男たちが乗り込んでいた。あたりは夕闇に包まれ、ギッギッと木が軋《きし》む音が規則正しく続いている。それが船の櫓《ろ》を漕《こ》ぐ音だとは、千寿にはわからないことだったが。

手足はやはり縛られていたし、さるぐつわもはめられていたが、櫃からは出されていて体を伸ばすことができた。

千寿は女や子どもたちのあいだに寝ころがされていて、まわり中から押し殺したすすり泣きの声が聞こえてくる。

「ん？　息を吹き返したか？」

と言った声は、千寿ににぎりめしを食べさせた男のガラガラ声で、船底に座った女たちをかき分けてこっちへやって来た。

「おい、だいじょうぶか?」

男は千寿の顎をつかんで自分のほうを向かせ、キッと睨みつけた千寿に「よし」と歯を剥《む》いた。

「おまえは一番遠くまで売られていくんじゃ。まだまだ元気でいてもらわねば困る」

売られると聞いて、(いやじゃ!)と首を振った。

(この身は諸兄様のものじゃ、誰にも触らせはせぬ!)

「ははは、そりゃあ喜んで売られていく者はおらぬさ」

男は苦笑し、

「ましておまえは海を越えて売られるのじゃからのう。しかしまあ、身の因果と思うてあきらめろ。その見目ならば、高麗人にでも唐人にでも高く売れる」

千寿はぎょっとなって男を見上げた。高麗? 唐? そんな遠くへ売られてしまうのか!?

男はまだ話を続けている。

「人というのは、高い値で買うた物は大事にするものじゃ。またよく働けば、なおさら大事にしてもらえる。売られた先での暮らしをよいものにするのも、つらいものにするのも、おまえの心がけしだいじゃ。

おまえらもじゃぞ」

と言ったのは、千寿のまわりの女や子どもたちにだ。

「まずはなるべく高く買うてもらえるよう、いつまでもめそめそしておらんでしゃんとしろ。それが、おまえらにとっても一番いいことなんじゃ。奴婢《ぬひ》を買うのにそれなりの金を出す人間は、おまえらがよく働きさえすりゃァそれなりにちゃんとめしも食わせてくれるだろうが、金を惜しむしわん坊は、食わせる物も惜しむものだ。うっかりそうした主人に買われてしまわぬよう、女はせいぜい身ぎれいにしておれ。童どもは丈夫で元気なところを見せるんじゃ。そうするがおのれのためじゃぞ」

ひとくさりそんな説教をして、男は仲間たちのところへ戻っていった。

（人買いどもじゃったのか）

と千寿は腹の中で呻《うめ》いた。

なぜこうしたことになったのかはわからないが、相手がそうしたなりわいの者たちでは、なかなか逃げられるような隙《すき》はくれないだろう。しかも売られていく先は、海の向こうの高麗か唐か、とは……

（じゃが、きっとなんとかする！　何としてでも諸兄様のところへ帰るのじゃ）

千寿は固く自分に言い聞かせた。

あたりが真っ暗になり、頭上は満天の星空となったころ、船はどこかに着いた。男たちは女や子どもたちの手を縛り、二、三人ずつの数珠《じゅず》つなぎに腰縄を打って、船から降りさせた。千寿だけは例の男に担いで運ばれたが、おそらくは逃がしては損をする高値の売り物への配慮に違いない。

運び込まれたのは、鼻を突く生臭い匂いがこもった小屋の中で、そこには千寿一人が入れられ、さるぐつわは外してもらえたが腕と足は縛られたまま、小屋の支え柱につながれた。

「さあて、船出までおとなしゅうしておれよ。騒ぐようなら、またこれをかませるぞ」

男はそう脅しつけて小屋を出ていき、千寿はしばらくじっと座っていたが、男は戻ってこなそうなので、そろりと立ち上がってみた。足首を縛られているので立つのも苦労だったが、立てば外をのぞけそうな窓があったのだ。

だが見えたのは闇ばかりで、千寿はがっかりして腰を下ろした。

しばらくして、男がにぎりめしを盛った木皿を持ってやってきた。（ずいぶんたくさんじゃな）と思ったら、男と二人分の夕餉なのだった。

千寿は腕の縄を解いてくれるよう頼んでみたが、やはり返事は「だめだ」の一点張りで、千寿は男の手からにぎりめしを食わされた。

「水をいただけませぬか」

「おう」

差し出された椀から口だけで飲む水を、わざとこぼして、

「うまく飲めませぬ。どうか腕を」

　と言ってみたが、

「口移しで飲ませてやろう」

　とニヤリとされて、あわてて断わった。

　だがやがて、どうでも手足をほどいてもらわねば困る事情が持ち上がった。小便をもよおしたのだ。しかし言えば、「俺が持ってさせてやる」というハメになりそうな気がする。

　そこで千寿はしばらくは辛抱していたのだが、どうにも我慢ができなくなった。このままでは洩《も》らしてしまう。

　見張り番ということらしく小屋のむこうに寝ころがっている男に、

「あのう」

　と声をかけた。

「あのう、もし」

「ん？　なんだ」

「その……」

「おう、小便か」

　男は起き上がってきて、なんと足の縄をほどいてくれた。それから柱につないであった縄尻を解いて、千寿を小屋の外につれ出した。

「ここでしろ」

と言われて、

「あの、手の縄を」

と頼んだ。

「だめだ」

にべもなく男は言い、袴の脇からむずと手を入れて千寿のそれをつまみ出した。

「そら、せい」

屈辱感に耳まで真っ赤になりながら、千寿はいやおうのない放出を済ませ、男はご親切にぷるぷると振るってしずくまで切ってから、元どおりにしまってくれた。

小屋につれ戻され、また柱につながれたが、こんどは足はくくられなかった。

用を済ませると、男は小屋のすみに行って寝てしまい、千寿は（なにやら……わしは大事にされるようじゃな）と考えた。

小便の一幕は、相手が悪ければ危ない瀬戸際だったと思うのだが、男は何もしなかった。幼い子どもにするように、ただ小便をさせてくれただけ。

（売り物には手をつけぬということなのじゃろうが、それでもありがたい。諸兄様以外の男にこの身を汚されたりするようなら、舌を咬《か》み切ってでも操を守らねばならぬ）

そう考えて、千寿はきゅうっと悲しくなった。

寺にいたころには徳生《とくしょう》たちにしつこく付け狙われ、内裏でも衛士たちに襲われかけたりしたこの体が、いつまで無事でいられるか……

この見張り番は、おそらく稚児《ちご》趣味はない男なのだろうが、船に乗り合わせていた一味の者たちの中には、好色な目つきで千寿を見ていた者もいた。ああした者たちが、どうにかして手出しをして来ないともかぎらない。そしてそうなった時……逃れるすべはないだろう。

（もしもそうしたことになったなら、わたくしは死にまする）

胸の中に浮かべた諸兄様の面影に向かって、千寿はひっそりと誓った。

（諸兄様以外の男に抱かれるなど、絶対にいやでござりますれば、わたくしは死にまする。……二度と諸兄様にお会いできなくなるのは、こうして思うただけでも身を裂かれるようにつろうござりまするが、ほかの男に汚された身でおそばに戻るわけにはまいりませぬ。ですから千寿は、死んで清い身を守りまする。清い操《みさお》のまま死ねば、きっとわたくしの魂は美しゅう光る蛍《ほたる》となって、諸兄様のところへ戻れましょうゆえ……きっとそういたしまする……）

固く心を決めて、千寿はその夜一晩、このまま諸兄様とお別れするほかはないのだろう運命の悲しさつらさに泣いて過ごした。

むろん、不動尊にも大日如来《だいにちにょらい》様にも（どうぞお助けください）と祈り、きっと必死でお探しくださっている諸兄様にどうか届けと、心の中で千度も万度も（千寿はここにおりまする）と訴え申し上げたが、こんなどこともわからぬ遠くまでつれて来られてしまっていては、希望を持つのはむずかしかった。

また幸いに操は守り通すことができたとしても、海の向こうの高麗やら唐やらに売られてしまっては、やはり二度と諸兄様のおそばへ帰ることはかなうまい。

(諸兄様……諸兄様あ……諸兄様あ〰〰〰〰……)

泣いても泣いても涙は込み上げるばかりで、千寿は暁まで泣き続けたのだった。


悲しみ尽くした夜が明けて、沈みきった心には届かない朝の光が小屋の中に満ちたころ。

なにやら荒々しい声が聞こえてきたと思うと、船の上で見た顔の男が息せき切って小屋に駆け込んできた。

「お頭《かしら》からのご命令じゃ！　いますぐここを出て、西へ向かえ、とよ」

「何事だ？」

見張り番の男がぎゅっと眉《まゆ》をひそめ、使いの男はバタバタと手を振って男を急《せ》かせた。

「話はあとじゃっ、とにかくその童《わらわ》をつれて、早く！」

「船の支度は？」

「できておるから、こうして呼びに来た！　おっと、さるぐつわを忘れるなよっ」

「ふん、さては役所の巡検使でも来おったか。どうせ鼻薬を嗅《か》げば引き上げるやつらじゃろうに」

二人のやり取りに、千寿《せんじゅ》は泣きはらした目を輝かせた。

（諸兄《もろえ》様がおいでくだされたのかもしれぬ！）

見張り番の男が立ち上がった。さるぐつわを手に、こちらへやってくる。

迷っている暇はなかった。

千寿は息を吸い込むと、喉《のど》も裂けよと叫んだ。

「お助けくださいい!!　千寿はここでございます!!　諸兄様ー!!」

「ちっ！」

と舌打ちして駆け寄ってきた男に、こめかみのあたりをガンッと殴られて、意識が飛んだ。


諸兄があやうく間に合ったのは、風にちぎれながらのかすかな叫びを（千寿の声だ！）と感じた自分を、とっさに確信までに信じきったおかげだった。

もしも一瞬でも迷って、『淡路《あわじ》』の腹を蹴《け》るのが遅れていたら……一片の迷いもなく『淡路』に決死の全力疾走をさせていなかったら、その船は船着き場を離れてしまっていただろう。

川が海に流れ込むきわの蘆《あし》原の中の高台に建っている、貧しい家並みを駆け抜けて、正面に海がひらけたとたん、いまにも漕《こ》ぎ出そうとしている船が目に入った。

（あれだ！）と信じて、諸兄は『淡路』に笞《むち》を入れた。

夜通し駆け続けてきた牝馬《ひんば》は、一息ごとに口から白い泡をこぼしていたが、諸兄の必死の笞に応えてひた走り、まさに間一髪で船に追いついた。諸兄が鞍《くら》から飛び降りたとたん、ドッと倒れた。

そのさまを目のすみで見て取りつつ、諸兄は数人の男たちが乗った船へと躍り込んだ。

ぐらっと大揺れした船の舳先《へさき》近くに、ぐったりと横たわっている千寿の姿を見つけた！

「ちいっ！」

と殴りかかってきた男をかわしたのは、揺れに足を取られて（おっ！）と船べりにつかまった瞬間の偶然だった。

崩れた姿勢をとっさに膝《ひざ》を着くことで立て直し、シャッと太刀《たち》を抜いた。

「こらこらあ、何者だあ！」

赤鬼のような半裸の男がわめいてきたのへ、怒鳴り返した。

「六位蔵人《くろうど》・藤原《ふじわら》諸兄だ！　千寿は返してもらうぞ!!」

「させるかよおっ！」

ぶんっと男が振りまわしたのは、船の櫂《かい》。あやうくかわすと同時に「やっ！」と斬りつければ、男はひょいとのけぞって切っ先をよけたものの、「あわわっ」と腕を泳がせて背中から水に落ち込んだ。

「やるな、青役人！」

二人目の男は野太刀を振りかぶって斬りかかってきた。ギンッと太刀で受けたが、男は刃に刃を咬《か》ませたまま押してきて、その豪力のすさまじいこと。ギリギリとねじ伏せようとしてくるのを「うぬう〜っ！」と渾身《こんしん》の力で押し返した刹那《せつな》、いきなり男が身をかわし、あっとたたらを踏んだ。ビシッと小手を打たれてガラリと太刀を取り落とした。

「それ！」

と男たちが飛びかかってきて、諸兄は船底に押さえ込まれた。

「やあれやれ、とんだ冷や汗をかかされたぜ」

「縛り上げろっ」

「へっ、このまま押さえといて、沖へ出たとこでドボンと捨てっちまえば手間なしだァ」

「ふんっ、たしかに縛る綱ももったいねェか」

「おうよ、セーノのドボンで片づけちまやァいい」

「そうも行くまい」

言ったのは、諸兄は知らぬが、千寿の見張り番を務めた男だった。

「この男、役人だ。下手《へた》をして兄者の顔をつぶしてもならん」

「お頭は殺せって言いなさると思うぜ」

やり返してきた仲間に、

「ほう、おまえはいつから鬼八大夫《きはちだゆう》になった？」

と言い返した男は、どうやら頭目である鬼八大夫の弟らしい。

「あいよあいよ、鬼十《きじゅう》サマサマの言うとおり。おら、客人をくくり上げて差し上げろ」

うつぶせに押さえ込んだまま後ろ手にいましめようと、腕をつかまれねじ上げられた瞬間、諸兄は思わず絶叫を洩《も》らした。右手首で目も眩《くら》むような激痛がほとばしったのだ。

「ひえっ!?」

「な、なんでい、おどかしやがる！」

「いや、待て。その手首、折れてるようだな」

「ほえ？　おほほ、あーりゃりゃ」

「やれやれ、傷を負わせてしもうたとは、ちと厄介だが」

「けど、ドボンはまずいんだろ？」

「ああ。この役人が、あのわっぱを取り返しに駆けつけてきたわけを聞き出すまではな」

「お、そうか。帝《みかど》の気が変わったとでも言いに来たんなら、たしかに殺《や》っちまっちゃまずいやなあ」

「み……帝だとっ!?」

激痛に肩で息をつきながら、諸兄は耳を疑う言葉に驚愕《きょうがく》して叫んだ。

「千寿を攫《さら》えと命じたのは、主上《おかみ》だというのか!?」

「そうよ。帝の蔵人が、砂金持参でこっそり兄者に頼みに来たのよ。わっぱを盗み出して海の向こうへ売り飛ばしてくれ、とな」

「ばかなっ！」

「ああ、兄者もそう言ったさ。わざわざそんな面倒をやらずとも、わっぱ一人くびり殺すぐらい簡単だろう、とな。

ところが蔵人殿が言うことには、わっぱは嵯峨《さが》の帝と早良《さわら》親王の孫の姫とのあいだに生まれた皇子《みこ》で、殺してしまっては親王の祟《たた》りが恐ろしいのじゃと」

「う、嘘だっ、主上がそのようなことをお命じになるはずはない！」

鬼十を睨《にら》み上げて怒鳴った諸兄を、鬼十は顔をしかめて見下ろしてきて、言った。

「そういえば、六位蔵人とか名乗ったな」

「そ、そうだっ」

「おまえも帝の蔵人か？」

「ああ！」

「ならば、兄者のところへやって来た男とは同僚か」

「だ、誰が！　誰がいったいそのような御命を！」

「橘《たちばなの》岳見《たけみ》という男じゃ」

「っ!?」

思いがけない名前に息を呑んだ諸兄は、

「そのお方は東宮《とうぐう》殿下の蔵人様じゃ」

と聞こえた細い声に、ハッと振り返った。

舳先に座り込んだ千寿が、大きな目にいっぱいの涙をためて、こちらを見ていた。

「じゃが、なぜ東宮様がわしを外国《とつくに》などにお売りになられるのです？　そのようなとがを受けねばならぬようなことを、わしはいたしましたか？」

「い、いや」

と口ごもった諸兄は、

「そりゃあ、おまえの血筋が」

と口をはさんできた鬼十を、

「黙れ!!」

と制したが。

「わしが、亡くなられた帝と親王様の姫とやらの子であったのがいけないのですか？」

「き、聞いていたのかっ」

諸兄は呻《うめ》き、千寿はひどく淡々とした声音で言った。

「わしを生まれたばかりでお捨てになった方々のせいで、なんでわしが東宮殿下に嫌われねばならぬのじゃろう。理不尽じゃなあ……」

その目がみょうなふうにうつろなのに気づいて、諸兄は、自分を押さえつけている男たちに、

「放してくれっ」

と頼んだ。

「千寿のようすがおかしいのだ、千寿のところへ行かせてくれっ」

男たちは顔を見合わせ、鬼十を見やり、うなずきでも受け取ったらしく手を放してくれた。

諸兄はすぐさま起き上がり、揺れる船底によろめきながら千寿のところへ行った。

「千寿、俺がわかるか？」

と声をかけると、千寿はうつろな表情ながらも、こくりとうなずいた。

諸兄は無事な左腕で千寿の肩を抱き寄せ、千寿が後ろ手に縛られているのに気がついた。

縄を解いてやりたいが右手は使い物にならず、また、まずは抱きしめてやるほうが先だと思った。肩を抱いた腕に力を込めて、ぐっと胸の中に抱き込んだ。

「……諸兄様あ～……」

細く細く泣き始めた千寿は、東宮の命だという仕打ちに打ちのめされていた。

だが……だが本当に、これは東宮の命令なのか？

諸兄は千寿を抱きしめたまま鬼十を振り向き、

「聞きたいことがある」

と申し入れた。

「なんだ」

「先ほどそちは『帝の蔵人に頼まれた』と言ったな」

「それは、使いの蔵人がそう名乗ったのか?」

「おう。『帝の密命でやって来た』と、たしかにそう言った。俺はこの耳で聞いている」

「それはおかしい」

諸兄は返した。

「その男の名が『橘岳見』だというのが本当なら、帝のお使者であるはずがない。岳見は東宮殿下にお仕えする春宮坊《とうぐうぼう》蔵人なのだからな」

「ならば、帝と東宮が結託してのことなのではないのか?」

鬼十はやり返してきて、続けた。

「そのわっぱは、東宮がつぎの帝になるのにじゃまな者ゆえ、海の向こうに片づけるのじゃと聞いたぞ。いまの東宮は、帝の息子。父親と息子が心を合わせて、なにが不思議だ」

ふるるっと千寿が身を震わせ、諸兄はさらにしっかりと抱きしめてやりながら言った。

「たしかに父と子が心を合わせても不思議はない。だが帝のおそばに五年のあいだお仕えしてきた俺は、帝が断じてこのような企みをなさるお方ではないことを知っている。

また東宮殿下も、千寿を可愛《かわい》がるふりをして裏では企みをめぐらすような、そんな腹黒いお方ではない。けっしてそのようなお方ではない。

よって、これは臣下の誰かの企みだ。おそらくは……岳見の。だがそれも、そちたちが会っ

た男が本物の岳見殿であればの話だが」

「四十ばかりの、苦虫を嚙《か》み潰《つぶ》したようにへの字に口を結んでいるのが癖の男だ」

どうやら岳見本人のようだと思いながら、聞いた。

「……背格好は？」

「そうさな、背は高からず低からず、やせ形だ」

たぶん岳見殿だ、と思った諸兄の胸の中で、千寿がつぶやくように言った。

「それはきっと岳見様です。岳見様は、大事な東宮様のおためにならぬわしを、遠くにやろうとなされたのです。岳見様は東宮殿下を大事に大事に思うておられますゆえ、東宮様のおためにと……」

そして、スンと鼻をすする音を立てて、ため息混じりに言い継いだ。

「どうしてわしがおじゃまなのか、わしにはとんとわかりませぬが……」

こうなってはすべて明かすしかないと腹を決めて、諸兄は教えてやった。

「そなたは、使おうと思えば政争の道具に使えるだけの血筋を備えているからよ」

「……諸兄様はわしの生まれをご存じだったのですね？」

「ああ。業平《なりひら》殿から教えられてな。それ以来、心を合わせてそなたを守ってきたのだが」

「わしは……何も知りませせなんだ……」

「ああ。そなたにとっては何も知らぬことが幸せだと、俺も業平殿も……慈円阿闍梨《じえんあじゃり》や小野参《おののさん》議《ぎ》や俺の父もおなじ考えでな。主上もだ」

「帝も？」

ちょっと驚いている声で聞き返してきた千寿に、諸兄はほほえんで教えてやった。

「そうだ、帝も。そなたの身分が表立たずに『ただの千寿丸』でいるかぎりは、幽閉や流罪《るざい》にはおよばないとお考えくだされたばかりか、そなたの宮中での立場をそれとなくお守りくださるために、そなたに太刀を賜《たまわ》られた。恩賞を賜るのにわざわざ太刀を選ばれて、『朕《ちん》はこの者をこのように信じる』とお示しになられたのだ。謀反《むほん》などせぬと信じる……とな」

「あの太刀には、そのような意味が……」

あとはハアッというため息にした千寿は、もう泣いてはいなかった。

「だから、こたびの拉致《らち》が主上の命じられたことだなどとは、絶対にあり得ない。むろん東宮のお考えであるはずもない」

「……でも岳見様は、わたくしをおじゃまに思われたのですよね？」

気持ちが落ち着いた証拠に、さっきまで使っていた『わし』ではなく、いつもの『わたくし』という言い方に戻った千寿は、正しくわけを知りたがっていた。そしてもう、何を隠す必要もない。

「そなたも知ってのとおり、東宮殿下は幼いころから病がちに過ごされてきた。お弱い生まれつきであられるのだ。そして、そのことを不安に思う者もある。わかるか？」

「はい。帝がご病気がちでは政《まつりごと》に滞りが起きましょう」

「ではそこに、いまの道康《みちやす》親王よりも東宮にふさわしいと思う者が出るような人物があらわれたら、どうか。身はいたく健康で、つむりも聡明。まっすぐな気性で、いささかやんちゃなところも人気を集めるような、血筋貴く見目も麗しい皇子があらわれたなら？

また道康東宮は藤原の女を母としていて、そのつながりが右大臣良房《うだいじんよしふさ》の権力を高めている。東宮が帝になられれば、良房様の力はさらに増すことになる。それが面白くない者は、どういった企みを思うか？

良房様を失脚させるには、いまの東宮を廃位に追い込むのが手っ取り早い。むろん、自分が後ろ盾を務める皇子に、東宮の地位が転がり込んでくるように仕組んだうえでのことだ」

「なるほど……それが『政争の道具』ということでございまするか」

「うむ。そして、宮中で人気があるうえに、まだ十四というそなたは、はたから見れば使い勝手のよい道具と思えるだろう。いいように言いくるめて、言いなりにできるだろう、とな」

「千寿はそう簡単にはだまされませぬっ」

言って、千寿は「でも……」と続けた。

「わたくしが捨てられたわけは、そうしたことが理由ではなかったのではないのでしょうか？

生まれてすぐに捨てられてしまったというのは……」

これは答えるのにむずかしい問題で、諸兄は、千寿を傷つけないように極力言葉を選びながら言った。

「俺はそなたが生まれてくれてよかったと思うし、慈円阿闍梨や業平殿や、俺の母や、ほかほかそなたを好きな者たちはみなそう口をそろえるだろう。だから、生まれねばよかったなどとはけっして思うて欲しくないと、まず言うておく」

「はい。生まれて来ねば諸兄様にお会いすることはできませなんだ。阿闍梨様や業平様や桂子《かつらこ》様にも」

千寿は聡《さと》くそう返してきて、諸兄が本題に入るよううながした。

「一言で言うてしまえば、そなたの父と母は、許されぬ恋をなされたのよ」

諸兄はそうした言い方で、事の核心を告げた。

「許されぬ恋……？」

「考え方の問題とも言えるのだがな。そなたの母は、謀反のとがで配流《はいる》された早良親王というお方の、孫の姫であられた。それが障《さわ》りで、お二人の恋は認められぬものとなるしかなかったのだが……いや、こう濁しては、そなたにはわかるまいな。

じつは早良親王は、流刑の地に送られる途上で憤死なさり、その魂は怨霊となられて、時の帝にさまざまな祟りをなされたのよ。当時の都であった長岡京《ながおかきょう》を遷都させるまでにな」

「それは……よほどのお怒りであられたのですね」

「ああ。謀反のとがは、讒言《ざんげん》による冤罪《えんざい》だったそうだからな、お腹も立とう」

「たいそうお気の毒でござりまする」

「そうした親王の血筋の方々が、帝や朝廷を恨まれても無理はない」

「はい」

「さいわい親王には皇子はおられず、残された姫がお産みになったお子も姫だった。まわりはさぞやホッとしたに違いない。男児なら、祖父の親王の怨念《おんねん》を受け継いで事を起こす心配をしなければならぬからな」

「ところが、そのお孫の姫が、わたくしを産んでしまわれた……」

「それも上皇という重い身であるお方の御子としてな。そもそも、そうした差し障りのある姫のところへ前《さき》の帝ともあろうお方がお通いになること自体が、秘め隠されねばならぬ曲事《くせごと》だったうえに、みなが誕生を恐れてきた親王の血を引く男児が生まれたのだ」

「それは……」

言いかけて千寿は、

「それで捨てられたわけがわかりました」

と言い直した。

「怨霊のひ孫では、そうするほかしかたありますまい」

「それは違うぞ」

千寿のための否定を言ってやった瞬間、（あっ）と悟って、諸兄はそのまま口にした。

「そなたは御仏に預けられたのだ。曾祖父の親王の怨念に引きずられたりせぬ人間に育つようにとの、心からの祈りを込めて預けられたのだ」

「はい……」

小さく千寿はうなずいて、それからもう一度、

「……はい」

とうなずいた。こんどは声もきっぱりと。そう信じると決めた、というように。

諸兄はそのけなげさに胸が熱くなりながら、抱きしめた千寿の髪をなでてやろうと右手を上げて、

「うくっ！」

と固まった。

「諸兄様？」

「い、いや、大事ない」

とは言ったものの、骨の折れた手をうっかり動かしてしまった激痛に冷や汗が湧《わ》いてくる。顔が青ざめていくのがわかる。

「も、諸兄様!?　あ、あのっ！」

おろおろと顔をのぞき込んできて、千寿は叫んだ。

「人買いの方々、この縄をほどいてくだされ！　諸兄様がたいへんなのじゃ、どなたかあ！」

「やれやれ、いつまでイチャイチャ話し込む気かと、いいかげん呆《あき》れていたぞ」

鬼十がブツブツ言いながらやって来て、

「そら、まずはのけ」

と、千寿を抱えてどかした。

「縄をっ、どうかこの縄を！」

膝でじだんだと船底を踏み鳴らしながら詰め寄った千寿を、鬼十は、

「ああ、ああ、わかったわかった。こっちが済んだら解いてやる」

などと言いつつ小脇に抱え上げ、ひょいと仲間の男に渡した。

「こいつの手当てをするあいだ、おとなしゅうしておれ」

「て、手当てとは!?　諸兄様はお怪我《けが》を!?」

「手首の骨が折れとるだけだ。たいしたことはない」

そして鬼十は、激痛に脂汗《あぶらあせ》を流している諸兄の手首を無造作につかみ、

「ずれたな。つなぐぞ」

と言いざま、グギッと！

とっさに食いしばった奥歯で、必死に悲鳴をせき止めた。千寿が見ているのだ、見苦しくわめいたりはできぬ！

「ふむ、こんなものかな。おい、副《そ》え木《ぎ》を作れ」

「へえい」

「布きれはあるか」

「わたくしの衣をお使いくだされ！」

船に積んであった竹ざおを短く切って割った副え木を当て、千寿の水干《すいかん》の袖《そで》を裂いた布で巻き締めると、鬼十は残った布を吊り帯にして、折れた腕を首から吊らせた。

「よし、こんなもんだろう」

と諸兄の肩をポンとたたき、仲間たちに向かって顎《あご》をしゃくった。

「わっぱの縄をほどいてやれ」

それから立ち上がって小手をかざし、

「やれやれ、だいぶ流されたな」

とつぶやいた。

見れば船はいつの間にか、岸からはるか遠く離れていた。

「誰ぞ櫓《ろ》につけ」

「へえい」

「どっちへ漕ぎやす？」

「来たほうだ。住吉《すみよし》の館に戻る」

「へえい」

縄を解かれた千寿が諸兄のところに飛んできて、自分こそ痛そうな顔で聞いてきた。

「おかげんはいかがでござりまするかっ?」

「ああ、たいしたことはない」

千寿は副え木と巻き布をした腕のようすを子細に調べてから、舳先に立った鬼十に向かって形を改め、両手をつかえた。

「お手当ていただき、ありがとう存じました」

「お、おう」

そういえば礼を忘れていたなと思いつつ、諸兄も頭を下げた。

「世話になった」

「い、いや」

鬼十は頭をかき、ニヤと頰をゆがめて言った。

「改めて礼を言われるとみょうなぐあいだ。その腕を折ったのは俺だぜ」

「おう、そうだったか」

気づかなかったと思いながら、返した。

「こちらも一人、水に落とした。溺《おぼ》れたのではないかと思うが」

鬼十はぷっと吹き出して、ゲラゲラ笑いながら言った。

「俺たちァ潮の水を産湯《うぶゆ》に使い、船の上で育った海賊だぜ!? 陸地が見えてるような場所で溺れ死んだりするかよ！」

「まったくだ！　そんな間抜けは、とっくの昔に産湯で溺れておっ死んでらあな！」

「そういうものか」

諸兄は改めて、いかにもたくましい面構えの男たちを見渡し、尋ねた。

「鬼八大夫に会わせてもらえぬだろうか。千寿を買い戻す交渉をしたい」

「いまそっちへ向かってらァ」

櫓を漕ぐ男が乱暴な調子で言って、ゲタゲタと笑った。

話し声が途絶えると、船の上は、船べりを水がたたくピチャッピチャッという音と、ギッギッという櫓の軋《きし》みだけが聞こえる静かな世界になった。

「ここは……海なのだな」

船が漕ぎ進む水面は、川とは違うゆったりとしたうねりを見せている。船が向かっている岸の反対側を振り返っても、対岸は見えない。水は澄んでいるが、底は見えない。

ふと喉《のど》の渇きを覚えて、諸兄は船べりから手を差し出し、すくい取った水を口に運んだ。飲むつもりでぐっと含んで、「ぶはっ！」と吐き出した。

「な、なんだ、この水は!?」

「どうかなされましたか!?」

「辛い！　おそろしく塩辛いぞ！」

ブハアッ！　と海賊たちが吹き出した。

「ギャハッ、ギャハッ、ギャハハハハハハ！」

「ヒイッ、ヒイッ、ヒヒャヒャヒャヒャヒャヒャヒャ！」

てんでに笑いころげながら、一人が怒鳴った。

「う、海の水が塩辛いなァ、あ、あたっ、あたりまえだあ！」

「ケッケッケッケッ！　俺ァ、俺ァ、腹が破れそうっ、ヒ～ッヒッヒッヒッヒッヒ！」

諸兄は憮然《ぶぜん》となりながら、千寿に向かって言いわけした。

「俺は京で生まれ京で育ち、まだ地方に下ったことがないのでな。海というものは、見たのも初めてだ」

「わたくしも初めてでござります る」

千寿はまじめな顔で言い、つと手を伸ばしてすくい取った水を、ぺろと嘗《な》めた。

「わっ、ほんとに塩辛うござりまするね！」

と盛大に顔をしかめ、手の中に残っている水をしげしげと眺めた。

「ふつうの水と変わらず美しゅう澄んでおりますのに、不思議なことでござりまする」

「海というのは、どこもこうした塩辛い水なのだろうか」

「この広い水が全部塩辛いなどということはありますまい」

千寿は言って、もう一度船べりから手を伸ばした。すくった水を嘗めてみて、

「ここのも塩辛うござりまする」

と顔をしかめた。

「こんどはあのあたりを味見いたしてみまする」

と船の向かっている先を指さした。

海賊たちはまだヒイヒイゲタゲタ笑い悶《もだ》えている。漕ぎ手の男も、鬼十も、涙まで流して笑っている。

「海賊というのは無礼な者たちだな」

という諸兄の告訴に、千寿も「はい」とうなずいた。

鬼十殿たちの笑い上戸のおかげでなにやらとてもなごやかな雰囲気になった船が、出てきた船着き場まであと少しというところへ漕ぎ寄せた時だった。

もやい綱を手にして舳先に立った鬼十殿が、諸兄様を振り向いて言った。

「死んでいるぞ」

千寿は「えっ?」と諸兄様を見やり、諸兄様は鬼十殿に向かってうなずかれた。

「よく働いてくれた馬だ。丁重に弔《とむら》ってやりたいのだが」

急いで立ち上がって、諸兄様がごらんのほうを見やって、千寿も見つけた。船着き場に倒れているのは、あれは……!

「あ、『淡路』では!? 諸兄様、あれは『淡路』ではございませぬか!?」

諸兄様はお悲しげに「ああ」とうなずいてみせられて、おっしゃった。

「京からここまで駆け続けに駆け抜いて、力尽きたのだ。以前そなたを追手から救った手柄といい、『淡路』はほんとうによう尽くしてくれた。俺は一生、誇りに思う」

船着き場に上がるなり駆け寄った。『淡路』は海のほうに頭を向けて倒れていて、見開いた目は主人を見送ったまま、まだ海を見ていた。

目玉にたかっていたハエを追い払い、指で両のまぶたを閉じてやると、けなげな牝馬は安らかな眠りの相になった。

「『淡路』という名か」

頭の上から降ってきた鬼十殿の声に、「はい」と答えた。

「すさまじい走りぶりで、漕ぎ出そうとしていた船に追いついてきた。おまえと主人を会わせねばという一念だったのだろうな」

「……可哀想なことをいたしました」

「哀れと思うより、蔵人殿のように『誇りだ』と言うてくれたほうが、『淡路』はうれしかろう」

「はい……」

千寿は『淡路』のたてがみをなでてやり、笑みをつくって、

「ありがとうな」

と礼を言った。

「おまえが頑張ってくれたおかげで、わしは諸兄様とお会いできた。どうか安心して極楽に旅立っておくれ。ゆっくりと歩んでゆけばよいからの」

それから、阿弥陀如来《あみだにょらい》様に後生をお願いするお経を詠《よ》んでやった。

「どこぞに墓を掘って弔ってやる」

と言ってくれた鬼十に、諸兄様は自分も手伝うとおっしゃられた。

蘆原の中の道をたどり坂を上がった高台に、貧しげな集落があった。千寿が一夜を過ごした小屋がどれだかは、わからなかった。

粗末な家並みのあいだを通り過ぎると、築地《ついじ》に囲まれた大きな屋敷があった。

「鬼八大夫の館だ」

と諸兄様が教えてくだされた。

門の外に見たようなお人が立っていて、千寿は「あれ」と諸兄様のお袖を引いた。

「あれは頼直《よりなお》様ではございますまいか?」

「ああ、そのようだ」

諸兄様はお驚きになるふうもなくうなずかれた。

「途中まで一緒に来たのだが、頼直の馬が足を痛めてな」

「ではここまで歩いて？」

言って、千寿は諸兄様にお尋ねした。

「そう申せば、ここはどこなのでござりましょうか」

「摂津《せっつ》だ。難波江《なにわえ》の住吉という湊《みなと》だ」

諸兄様はすらすらとおっしゃり、千寿は、そうとうかがってもいったいどこやらまるでわからなくて、「はあ」と頭をかいた。

頼直様のほうも千寿たちに気づかれて、こちらへ歩き出されたが、手にした木の枝を杖に突いての足取りは、不自由そうに右足を引きずっておられた。

声が届くあたりまで近づいたところで、諸兄様が大声で仰《おお》せられた。

「その足はどうした!?」

「そちら様こそ！」

「そちらへ行くゆえ、無理して歩んでまいるな！」

やがて行き合うと、諸兄様は頼直様にお肩を貸そうとなさったが、頼直様は「めっそうもない！」と固辞されたし実際に無理でもあったから、千寿が代わりを務めさせていただいた。もっとも頼直様は遠慮をされて、お貸しした肩に重みを掛けてはおいでにならなかったから、千寿はただつき添って歩いたようなものだったが。

門を入ると廏《うまや》のある前庭で、廏には立派な馬が十頭も入れてあり、鬼八大夫というのはたいした分限者《ぶげんしゃ》なのだなと思った。

館は、諸兄様のお屋敷の母屋《もや》ぐらいの大きさで、千寿たちは広間に通された。

千寿たちが腰を下ろしてからやがて、几帳《きちょう》を立てた奥からのしのしと出てきた壮漢は、鬼十殿とよく似た面差しをなされていて、一目で（この方が鬼八様じゃな）とわかった。お歳は三十のなかばぐらいだろうか。『大夫』という名から思っていたよりずいぶんお若い。

「これはどういう風の吹き回しかな」

主人席の円座《わろうだ》にどっかりと腰を下ろしながら鬼八様が言い、鬼十殿がビタビタと首の後ろをたたきながら答えた。

「どうもこうも。俺たちは南風に乗ったつもりで、東風に乗っていたらしいぞ」

「ふむ？」

「こちらのご仁は帝に仕える蔵人で、千寿丸を攫って売り飛ばせという『帝の密命』は、帝は知らぬ企みだと言っている」

「ふむ。だがこれは金で請け負った仕事だ。俺たちはもらった金のぶんを働くだけだ」

「そのことだが」

と諸兄様が割り込まれ、大夫に向かって威儀を正しておっしゃった。

「正《しょう》六位上・蔵人の藤原諸兄と申す。そちに会わせてもろうたのは、千寿を買い戻す交渉をしたいがためだ。値はそちらの思うままでよい。どうか千寿を返してくれ」

そして深々と頭をお下げになられた。

「まあ、買うと言うなら売らぬでもないが……」

大夫はゴリゴリと顎をかき、

「ぜひ頼む！」

と諸兄様は膝を乗り出された。

千寿は、言うべきことを言う時が来たのを知った。

船の中で諸兄様からあれこれ聞かせていただきながら考えたこと、思ったこと……あれを言わなくてはいけない。いま、ここで。

そっと大きく息を吸い込んで、吐く息を声にした。

「申し上げたき儀がござりまする」

凛《りん》とした声が出せて、力が湧いた。

「ん？　なんだ？」

うながしてくださった諸兄様に会釈を返して、千寿は言った。

「諸兄様のお気持ちはありがたく、まことにうれしゅうござりまするが、わたくしは、この身は京に帰るべきではないと存じまする」

「何を言い出すのだ！」

仰天にひるがえったお声で叫ばれた諸兄様に向かって、千寿はできるだけ明るくにっこりと笑ってみせた。

「わたくしは、知ってはならぬわが身の上を知ってしまいました。またわたくしが京におりますことで、心休まらぬお方たちがおられます。帝や東宮殿下にもご心配をおかけいたしてしまいまする。そうしたことは千寿にはたいへん心苦しゅうござりまする。ついつい、この身は生まれてきてはいけなかったのではないかと思うてしまいまする」

「そのようなことはない！　そのようなことは思うてくれるなと！」

「はい。諸兄様のお心はよう聞かせていただきました。それが正しい考え方で、わたくしも心底からそのように思えたら、さぞやよかろうと存じまする。

でも千寿はまだ未熟者にて、仰せのように美しゅう悟り澄ませそうにはありませぬ」

「いや、それはむろん、まだ時間がかかろうが、しかし」

「ですからしばしのお暇《いとま》をちょうだいし、修行に出たいと存じまする」

「そ、それは」

言葉に詰まってしまわれた諸兄様から鬼八大夫様に目を移して、千寿は膝の前に静かに手をつかえた。

「大夫様にお願い申し上げまする。どうかこのまま、わたくしを唐にやってくださりませ」

「と、唐だと!?」

「京におれば何かと障りになるわたくしですが、入唐して学問を積み、慈円阿闍梨様のような学識の僧となって戻りますなら、どなたの障りにもならずに京におられる身になれるのではござりますまいか」

「唐へ渡って僧になるだと⁉」

諸兄様はさらに目をお剝《む》きになって、「うう〜む」としばらく唸《うな》られ、仰せられた。

「決めた。俺も行くぞ」

こんどは千寿がびっくり仰天した。

「それはなりませぬ！　諸兄様は帝のご信頼厚き『極臈《ごくろう》の蔵人』様ではありませぬか！　そのお役目を、大事なお役目を、お捨てになられるなど！」

「たしかにそれは心苦しい。だが、主上をお慕い申し上げる気持ちと、愛しいそなたを失うつらさを比べれば、軽重は羽と鉄だ。また俺は、生涯そなたを守って過ごすと、神仏にも誓ったし主上にも申し上げた。そなたの決意が変わらぬならば、俺も一緒に行くのが筋だ。

いや、俺自身がそなたと行きたいのだ。たとえ陸奥《むつ》でも唐でも、はるか天竺《てんじく》に身を置くことになろうとも、俺はそなたとともにおる」

「けれどそれでは桂子様がお寂しゅうなられまする。お母上様はきっとお泣きになりまする」

「そなた一人が唐へ渡ったなどと知れば、寂しさと心配で二倍お嘆きになるだろう。なぜ一人で行かせたかと、俺をお叱りになるだろう」

「ですがっ、仰せはたまらなくうれしゅう存じまするが、でもっ」

「あーあー、またのイチャイチャはそのぐらいにしてくれ」

鬼十殿が口をはさんでこられて、鬼八様に言われた。

「船の中でもこの調子で、抱き合うたなり長々話し込まれてな。聞いてるこっちは耳がこそばゆいやら、胸はせつのうなるやらで、えらい目に遭うたのよ」

なにやらずいぶんな言いようじゃと千寿はむくれたが、鬼八様はまじめな顔で「うむ」とうなずかれ、「うむ」ともう一度うなずいて仰せられた。

「俺には宮中のゴタゴタなどどうでもエエし、惚《ほ》れ合うた同士を割り裂くような野暮は好かん。唐まで駆け落ちするというなら、手伝うてやろうではないか。どうだ、鬼十」

「賛成だ、兄者。俺が船長《ふなおさ》を務めてエエか」

「おう、唐まで無事に送ってやれ」

「あ、あの」

と千寿は話を引き戻そうとしたが、鬼八兄弟は「どの船で、いつ出航するか」といった話を始めてしまい、諸兄様もすっかり決め込んでおられるお顔。

ハアァ……と抗議をあきらめて、ほのぼのとうれしい心地になった。

諸兄様と二人で唐に行く……阿闍梨様がお話しくださった大きな大きな唐の都や、それはそれは美しいそうな大寺や御殿の数々を、諸兄様と二人で見て歩くのじゃ……ああ、楽しみじゃなあ。

諸兄様がこちらをごらんになってほほえまれたので、千寿も笑みを返して言った。

「唐の都にも市《いち》はござりますのでしょうか」

「あるのではないかな。行きたいか？」

「はいっ」

するとと諸兄様は、ご無事な左手で「おっ」と膝をお打ちになり、

「なれば銭がいるぞ」

と仰せられた。

「手持ちはないゆえ屋敷から取り寄せねばならんが、船出までに間に合うだろうか」

「わたくしは店々を見て歩くだけでよろしゅうござりまする」

と千寿は申し上げたが、後ろにひかえておられた頼直様がツクツクと背中をつついてこられて、おっしゃるには、

「他国にまいれば、住む家を手に入れる金や、食う物、着る物をあがなう金もいる。銭を持っていかねば暮らせぬぞ」

「そうなのですか!?」

「もう一つ言えば」

と鬼十殿がさしはさんで来られたご忠告は、

「他国では銭より金《きん》がいい。あるいはむしろ、よい布や細工物だな」

千寿は諸兄様と顔を見合わせた。

「いろいろと覚えねばならぬことが多そうでござりまするね」

「そのようだな」

と諸兄様もうなずかれた。

船出の支度ができるまで二人は館に逗留《とうりゅう》させてもらうことになり、業平様のお屋敷の月見殿ほどの広さの離れ間をあてがわれた。

頼直様もご一緒で、ただし二、三日内に京に帰られるということだったので、皆様方へのお別れの文《ふみ》を言《こと》づけることになった。

諸兄様はしばらくは筆をお取りになれないので、お口でおっしゃっていただいて千寿が代筆をした。

諸兄様は、お母上様とお父上様、帝と蔵人頭《くろうどのとう》方へと業平様に文を送られることにし、千寿は、慈円阿闍梨様と桂子様と業平様と、とうとう会いに行きそこなってしまったとと様かか様への文をしたためた。

「あのう」

「ん？　なんだ」

「東宮殿下に文を差し上げては、僭越《せんえつ》となりましょうか」

「よいのではないか?」

「お寂しくお思いいただかぬよう、『唐の市のようすやらの面白い土産話を持ち帰るので、楽しみになされていてくださりませ』と書こうと思うのですが」

「よいのではないかな。うむ、よいおなぐさめになろう」

文はたくさんで、その日のうちには書き終えられず、翌日もまる一日かかってしまった。

書き上げた文を頼直様に託し、館の馬を借りてご出立《しゅったつ》なさった頼直様をお見送りしてから、三日目。

諸兄様と二人で浜辺に出かけて、海に沈む夕日の美しさを眺めていたら、館のほうからなにやら荒々しい馬蹄《ばてい》の響きが近づいてきた。

「何事でしょうか」

「頼んだ金が届いたのではないかな」

そんなことを話していたあいだに、浜辺の後ろの松原からくだんの馬がドカカカッと駆け出してきて、お乗りのお方が大声で怒鳴って来た。

「馬鹿者が!!　なにが二人で唐に駆け落ちするだ、ふざけるな!!」

「業平様じゃ!」

「おう。なにやらカンカンの体《てい》だが」

「もしや業平様も唐にお行きになられたくて?　お誘いしなかったのを怒っておられるのでし

ようか?」

「かもしれぬな」

やがて砂を蹴散らして駆け寄せてきた業平様が、ブフッブフッと荒い息をついている馬の上からガミガミと仰せられたのは、二人の予想とはまるで違うことだった。

「帝の勅《ちょく》により、おぬしら二人の渡航を差し止める！　また東宮殿下の宣下《せんげ》により、千寿丸はただちに京に戻って、申しつけられていた市での見聞きを奏上するよう！

さらに帝よりの勅！　そなたら二人が住めぬほど京は狭くはないによって、拗《す》ねていないで帰ってこい、だそうだ！

なお勅命・宣下には可及的速やかにしたがえ！　離反は許さん!!」

千寿は諸兄様と顔を見合わせ、ちょっとがっかりでちょっとうれしく、たいそう戸惑った気分を分け合った。

夜のとばりがおりかけた秋風の吹く浜辺で、二人の架空の逃避行は終わったのだった。


カポカポと越えていく山崎《やまざき》の峠の道は、まだ紅葉には早い青々とした風景で、道端の草むらのそこここに、秋草の花がいまを盛りと咲いている。

ふと一群れの桔梗《ききょう》の花を見つけて、千寿はあとから来る諸兄様に「桔梗がございまする」と指さしてみせ、前を進む業平様に「しばしお待ちくださりませ」とお願いの声をかけた。

「なんだ?」

と振り返られた業平様に、

「あの花を採ってまいりたいのでござりまする」

と申し上げて、馬の手綱を引いた。

「ここはまだ京にはだいぶ遠いぞ」

諸兄様がおっしゃりながら馬を並べて来られた。

「持ち帰るあいだにしおれてしまうのではないか?」

「でも、この先にも咲いておりますでしょうか」

「あー……どうかな。この道は通ったのだが、急いでいたゆえ花など目に入らなかった」

「では念のため摘んでまいりまする」

「まあ、それがよいかな」

千寿が馬を下りようとしていたところへ業平様が馬を返して来られ、

「なんなのだ?」

とお尋ねになった。

「うむ、桔梗をな」

諸兄様がお答えになり、千寿がつけくわえた。

「東宮様への献上品でござりまする」

「はい。野駆けにまいりますことを申し上げましたところ、桔梗を一本、土産に欲しいと仰せられまして」

「殿下への？」

「代わりに西雅院《さいがいん》のお庭の女郎花《おみなえし》をくださるそうだ」

こもごもにご説明した二人に、業平様は「くっ」とひたいの烏帽子《えぼし》ぎわを手でお押さえになって、おっしゃった。

「それだ……」

「は？」

「なんだ」

「その話をした時に、岳見もそばにいただろう」

「はい」

「ああ、侍っていた」

「それで岳見は決意したのよ」

「は？」

「何をだ」

「おぬしら、その二人一組の返事はやめろっ」

業平様が苛立《いらだ》ったごようすで仰せになり、千寿は諸兄様と顔を見合わせた。

「ええくそっ、その何かというと目と目で話すのもだ！」

「何をかりかりしているのだ」

諸兄様が閉口しておられる口調でおっしゃり、千寿も（ほんに）と思った。

「あーもーっ！」

業平様は烏帽子をむしり取って投げ捨てそうなごようすで、ガシガシと鬢《びん》の髪をおかきになり、千寿と諸兄様をお怒鳴りになった。

「仲むつまじいのはけっこうだが、恋惚《こいぼ》けもいいかげんにしろ！」

そしてガミガミとお続けになった。

「千寿！　桔梗の花は何色だ！」

「む、紫？　でござります る」

「女郎花は！」

「黄色でござりまする」

「諸兄！　黄色の位袍《いほう》といえば！」

「黄櫨《こうろ》染《ぜん》か黄丹《おうだん》だが、女郎花の花の色は黄丹に近い」

仰せられて、諸兄様は（あっ）というお顔をなさった。

「それかっ」

「それさ。黄は帝か東宮の当色《とうじき》、紫は親王のそれだ」

「それを『取り替えよう』と仰せられたわけだな、東宮は」

「冗談にしても、まったくうかつな問答をしたものよっ」

「そうかあ……いや、何かの謎掛けのようだと思いはしたのだ」

「謎でも何でもないだろうがっ、色を花でたとえて言っただけだ！　東宮がそう仰せられた時に、『桔梗は野に、お庭の女郎花は殿下のお庭にこそが似合います』とでもかわしておれば、岳見もばかな考えは起こさなかったろうさ」

吐き捨てるように業平様はおっしゃり、千寿にもやっと話が呑み込めた。

「ではあれは、わたくしが桔梗の『紫』で、『黄』の東宮様とご身分を取り替えようとのお話じゃったと？」

「正確に言えば、『取り替えたいね』ないし『取り替えられたらよかろうね』ぐらいのお気持ちだったのだろうな、東宮は。すなわち戯言《ざれごと》だ。それも、自分の出自は知らぬ千寿には意味が通じないことをご存じのうえでの、お口先の憂さ晴らしといったものだったろう」

業平様はそう解き明かされた。

「だが、当然わかってそれなりの返答をするべきだった諸兄は『何かの謎掛けのようだ』ぐらいの調子で返すべき言葉を返さず、岳見はばか正直の石頭で『東宮は千寿に位を譲りたがっていて、断わらなかった千寿や後見人の藤原諸兄には、譲位を受ける気がある』と解釈した。愚鈍なアホウと頭の固いバカとのばかばかしい行き違いが、この事件の真相さ」

「それは……岳見殿にたいそう気の毒なことをした」

諸兄様がしょんぼりと肩を落として仰せになり、

「まったくだ」

という業平様の追い討ちにさらにうなだれられた。

「もっとも岳見のほうも、自分の疑心暗鬼に足を取られた格好だからな。アホウとバカの失敗合戦は『どっちもどっち』の痛み分けで、それなりに決着したというわけだ」

「だが岳見殿は出家したのだろう？　喧嘩《けんか》両成敗にしては……」

「岳見の企みが成功していれば、おぬしらは海を隔てた生き別れの憂き目を見ていたのだぞ。同情がいるかっ」

「……そうか、これは政争であったのだな」

「いまごろ気づくな！」

ガミッと咬《か》みつかれた業平様に、千寿は考えた結果をお尋ねした。

「では桔梗は持ち帰らぬほうがようござりまするね」

「持ち帰ったとて問題はないさ。献上するだけで、女郎花は受け取らなければな」

「ああ……なるほど。宮中のおつき合いの仕方といいますのは、千寿にはむずかしゅうござりまする」

「おいおい学べばいいし、いつでも知恵は貸してやる」

頼もしげにおっしゃってくださった業平様に、千寿は（ぜひそうしよう）と思いながら「ありがとうございます」と申し上げたが、諸兄様は苦いお顔をされた。

「馬や弓の師のほかに、人づき合いの指南役にまで就かれては、俺の出番はないではないか」

「どれも、おぬしより俺のほうが腕が上なのだからしかたがないだろう」

業平様はフフンというお顔でおっしゃり、つけくわえられた。

「一番楽しい床技磨きは、おぬしの領分なのだから文句を言うな。腕から言えば、これまた俺のほうがはるかに上なのにもかかわらずにな」

「誰がそこまで関わらせるか！」

諸兄様が言い返され、千寿は真っ赤になった。

「見ろっ、千寿を恥ずかしがらせるような戯言を言うなっ」

という抗議は的はずれだったが、もちろんそれでおおいにけっこう。じつはその方面の指南も受けてしまっていることは、千寿の秘中の秘である。

京が見えてきたところで、千寿はお二方にお願いを言った。

「わたくしはこれからも『自分の親は知らぬ千寿』で過ごしたいと存じまする」

諸兄様と業平様は目と目でご相談なさり、

「そのようにしよう」

と諸兄様がお答えになられた。

「いっそおぬしの養子ということに形を作ってしまったらどうだ」

業平様が提案され、諸兄様は「う〜む」と渋面を作られた。

「たしかにそれで千寿の戸籍上の身分はすっきりはするが、六位の子というのはあまり使える肩書きではないからなあ」

「まったく使えぬ肩書きではあるが、官人《かんじん》の子息という立場になれば大学《だいがく》寮《りょう》入りや秀《しゅう》才《さい》試《し》も狙えるぞ」

「……考えてみよう」


お屋敷に戻り着いた諸兄様は、大納言様と桂子様から涙ながらのきついお叱りをお受けになり、帰参のごあいさつに上がった内裏《だいり》でも、帝や頭の方々から「短慮だ」「浅はかだ」とさんざんにお叱りを賜ったそうだった。

千寿のほうは皆様からひたすら無事を祝っていただき、諸兄様にもうしわけなく思ったが、業平様に言わせると「それで当然」なのだそうだ。

右手首の骨折が完治するまで出仕を見合わせたいという諸兄様の願い上げを、蔵人頭の方々はお認めくだされたのだが、帝は却下された。

「筆は取れぬでも話し相手はできるであろう」

とのお言葉で、諸兄様は位袍の下に右腕を吊ったお姿で日々参内することになられた。

おかげで諸兄様ともどもお屋敷に引きこもるはずだった千寿も毎日、小舎人童《こどねりわらわ》のお役に駆けまわっている。

七日に一度ぐらいの割で東宮殿下のお召しがあり、一刻ほどお相手をする。岳見様のことはお口になさらない殿下には、右大臣様が厳選されたという新しい蔵人が侍っておられるが、殿下はあまりお気に召しておられないらしい。

お教えいただいて双六《すごろく》を覚えたのだが、これがなかなかむずかしい遊びだった。サイを振ってコマを動かすのだが、千寿はやたら運が強くて、三度に二度はお譲りしたい勝負をついつい勝ってしまう。

「こんどから囲碁にしよう」

と仰せいただいた時には、ずいぶんホッとしたことだった。

帰京してから五日目の午後、千寿は生まれて初めての太刀の稽古《けいこ》に挑んだ。場所は業平様のお屋敷の裏庭で、最初は、腰に佩《は》いた太刀を鞘《さや》から抜いて構えるまでの稽古だった。

帝からいただいた細太刀を、太刀を吊るための美しい平打ちの組緒《くみお》で手ずから千寿の腰に佩かせてくださりながら、業平様はクスクス笑っておっしゃられた。

「やれやれ、そなたの腰の細さといったら。平緒《ひらお》を二巻きさせぬと余ってしまうではないか」

千寿は腰回りに触れる業平様のお手に、何やら顔が赤くなってきてしまうような気分を味わったが、ぎゅっと緒を締められて落ち着いた。

「さて、まず柄《つか》はこう握る」

というところから始まって、

「右の手で柄を握り、左手で鞘を押さえ、こう抜いて、こう構える」

という基本以下の基本を、業平様は、千寿の背後にぴたりと寄り添って手に手を添える格好でお教えくださったが、身の丈に比べて長過ぎる太刀を一挙動ですらりと抜き放つのは、むずかしかった。業平様が手を添えていてくださるとできるのだが、「ではやってごらん」と手を放されると、何度やってもヨイのセッといった抜き方になってしまう。

「どうしてじゃろうか」

情けない心地で小首をかしげた千寿に、業平様がおっしゃった。

「腕だけで抜こうとするからだ」

それから千寿の後ろに身をお寄せになって、千寿には柄と鞘を握らせ、ご自分は両手で千寿の腰をおつかみになって、

「腕で引き抜くのと一緒に、こう腰をひねってだな」

と何度かおさせになったが、

「ハハ、どうにもいかん」

とつぶやき声で仰せられて千寿をお放しになった。

「もうしわけございませぬ。やはりこの太刀はわしには長過ぎましょう」

くやしいが認めざるを得ないようだと思いながら言った千寿に、業平様は苦笑しているお声でおっしゃった。

「いや、いかんのは俺のほうの事情だ」

そしてふたたび身を寄せてこられ、手で腰をつかむ代わりに腕を巻いて、ぐっと千寿の腰を抱き寄せた。

「あ……」

と千寿はうろたえた。腰骨のあたりに押しつけられた業平様のそこが、あきらかに固くしこっていたからだ。

「そなたへの横恋慕はきっぱりあきらめたはずなのに、この始末」

耳に温かい息を触れさせながらささやいてこられた業平様に、千寿はますますうろたえて、カアッとうなじまで赤くなったが。

「いたしかたない、太刀技の教授も頼直に任せよう」

とのお言葉に「え!?」と振り返った。腰を抱きしめられたままのうかつな動きは、業平様のそこを尻でぐりりっとこすった格好になり、業平様が「うっ」と一瞬せつないお顔をなされたのを見てしまった。

「あ、も、もうしわけっ」

「いや……躾《しつけ》の利かぬ不埒《ふらち》な愚息で情けない」

業平様はほんとうに情けなさそうに苦笑なさり、千寿は困ってうつむいた。業平様はまだ腕をお放しくだされていないのだ。

「こうしたことではまともな教授などできるかどうか危ういものゆえ、太刀も頼直に習え」

業平様がおっしゃり、千寿も（そのほうがよさそうじゃ）と思ったのだが、なぜだかハイとはうなずきかねた。馬と弓は頼直様から習うことになっていて、太刀もそうするとなると、このお方から教えていただけることは何もなくなってしまう。

「あの」

と口をひらいたが、その先に続ける言葉は思いつけなくて、でも何か一つぐらいはこの方から教わりたい気持ちは強かった。

「あの、馬なら教えていただけますか？」

おずおずと持ちかけてみた提案に、業平様は「ふむ？」と鼻を鳴らされ、

「もしや、こうした俺もいやではないのか？」

などとうれしそうにおっしゃってこられたので、

「これは困りまするっ」

と、腹に当たっているそれをエイッと腹で押し潰してやりつつ言い返した。

「うつっ」

「これは困りまするが、何か一つぐらいは当代一流の業平様のお教えを」

「房事はどうだ」

すかさずからかってこられたお方の足先を「いえっ」と踏んずけて差し上げたのは、千寿はまじめに言ったことだったからだ。

「やれやれ、そなたもかなりのわがまま者よな。俺に辛抱だけを押しつけようとか」

「兄と思うてよいと仰せられました」

やり返した千寿に、

「あれは」

と言いかけられて、業平様はクスッとお笑いになった。

「そうだな、たしかにそう言った。わかったわかった。頼直の東国流の太刀技は、強くはあるが泥臭い。可愛いそなたのためと百歩譲って、ならぬ辛抱をしてやろうではないか」

「はいっ」

「ただし俺にきつい辛抱をさせるぶん、そなたもこのくらいの見返りは許せよ」

チュッと口元に唇をつけられて（しくじったか!?）と思ったが、後の祭りだったようだ。

ギリッギリリッゴリッ……お手に握られた胡桃《くるみ》の実二つを手の中で擦り鳴らされる、歯ぎしりのようにも聞こえる手すさびの音がふと止んで、「畝傍《うねび》」と呼ばれた。

「こちらに」

とお答えして、家司《けいし》（執事）の畝傍はご用命を待った。

「岳見を使うてのもくろみも失敗した。いたく不愉快だ」

苦々しげに仰せられたお声に、「御意《ぎょい》」とお返しした。

「いま一度あの武者どもを使うてみるかとも思うたが、やはり呪詛《じゅそ》にしよう」

たしかにいまはもう、そうしたひそかな手だてしか使えまいが……

「拓尊《たくそん》とかいう咒法僧《じゅほうそう》は、南都《なんと》（奈良）にいるのだったな」

やはりかと腹の中で呻きながら、畝傍は「御意」と答えた。

「ただちに使いに立て」

「かしこまりました」

……千寿丸を狙う新たな企みが始動した。


八月十五日の『中秋の名月』の夕。業平様のお屋敷の月見殿で、内輪の宴がひらかれた。

「千寿奪回に功あった者たちを集めるから、酒はおぬしが持ってこい」

という業平様のお招きの辞に、諸兄様は瓶子《へいし》二十本の銘酒をご用意なされた。

月見殿にお集まりになられたのは、諸兄様に頼直様に、なぜか国経《くにつね》様。

山城の以蔵殿と傀儡宿の三蔵殿も招かれておられた。最初は借りてきた猫といったぐあいに小さくなっていた二人だが、酒がまわるにつれて元気が出てきて、催馬楽《さいばら》（庶民の俗謡）を面白おかしく謡《うた》い舞って見せたりされた。頼直様はいつの間にか二人と一緒に飲んでいた。

千寿は皆様のお酌を務めさせていただいたが、それとなく国経様は敬遠していたのを、業平様に見抜かれた。

「おやおや、おぬしはまだ千寿に嫌われたままのようだね」

とお笑いになって、業平様がおっしゃられたのは……

「もしや拓尊のしわざではないかという疑いを、見当違いだとわかるまで調べ上げるのに、ずいぶんと苦労もしたのに。すべて水の泡だったとは、やれ気の毒な」

「え？」

と千寿は国経様を見やった。そのようなこと、うかがっていなかった。

「どうせわたしは、愚にもつかぬ無駄な骨折りをしただけでしたよ」

国経様はそっぽを向いてお答えになり、一息ほどためらってからお続けになった。

「まあ千寿丸殿は無事だったんですから、無駄骨もそう悔しくはありませんが」

千寿が（おや）と思ったのは、国経様が自分を『殿』付きで呼ばれたのと、おっしゃられた中身も言い方もこの方らしくなく神妙であられたからだ。

「ははは、そう拗ねるな。千寿がなにげにおぬしの酌を避けているのは、おぬしの働きを評価していないというのではなく、単におぬしが嫌いなだけだ」

業平様がお人の悪いことをおっしゃり、国経様は耳を赤くして言い返された。

「わかっていますよ、そう何度も傷に塩を塗らないでください！　どうせわたしはここでは嫌われ者だし、どこへ行っても叔父の名以上に好かれるわけではない。『右大臣良房』の甥《おい》だから値打ちがある、というだけの人間ですっ」

あれ……と思って、千寿はまじまじ国経様を見てしまった。この方のお口から、こんないじけたお言葉が出るとは……今夜の月は西から出るのではないか？

業平様がクスッと笑っておっしゃった。

「千寿、いま何を考えた？」

「あ……」

言っていいのかどうか迷ったが、国経様が聞き耳を立てておられるようすだったので、思いきって申し上げた。

「今宵《こよい》の月は西から昇るのではないか、と思いました」

「くっくっくっ、その心は？」

「あまりに国経様らしゅうないお言葉を耳にいたしましたので」

「いやいや、これは根はこうした、見かけよりずっと小心な男なのだよ」

業平様の遠慮のない揶揄《やゆ》に、国経様はまた耳を赤くされたが、

「あなたのような蛮勇の人物と比べたら、叔父とて小心者です」

という言い方で、ご自分への貶《けな》しをお認めになった。

「おぬしら下々と俺とでは、血筋が違うからな」

業平様はうそぶかれ、ちらと口元に笑いを刷《は》かれてつけくわえられた。

「下々のおぬしが俺たちのような貴種に魅かれる気持ちは当然だが、千寿は疾《と》うから高空《たかぞら》の月」

そして、ふと思いついたというふうにおっしゃった。

「そうか……そうと考えれば謎は解けるな」

「何がです」

盃《さかずき》を口に運びながら国経様が聞き返された。

「おぬしと千寿が、まったくの赤の他人とは思えぬ似方をしていることよ。雲井の君の父親が若き日の長良《ながら》だったと判じれば」

ぶっと国経様は含んだ酒を噴かれ、

「な、なんと!?」

とあわてふためいたごようすで、目を剝いたお顔の口元を袖で拭《ぬぐ》われた。

「まさか!」

と諸兄様もおっしゃられたが。

「いやいや、あり得ぬ話ではないぞ。雲井の君が生まれた当時、長良は十六、七にはなっていたはずだからな。十月さかのぼっても……子はなせる歳だ。冬継《ふゆつぐ》の嫡男という驕《おご》りに高ぶったいっぱし気取りの生意気盛りが、雲間の月を手に入れてくれようと寂しく暮らしていた姫のもとへ忍んで行って、まんまと首尾を遂げた結果が、雲井の君だとしたら？」

「ええと……？」

千寿は頭の中で系図を引いてみながら首をかしげた。

「そうなりますと、わたくしは長良様の孫ということになり、長良様のお子であられます国経様との間柄は……」

「国経と雲井の君が姉弟ということだから、国経とそなたは叔父甥の関係だな」

業平様はおっしゃって、さらにびっくりするようなことを仰せ出された。

「もっとも国経の母御の『難波淵子《なにわのふちこ》』殿が、じつは雲井の君の母であられるお方の世を忍んだ姿だったりするならば、そなたと国経は、似ていても何の不思議もないほどに濃く血が絡んだ叔父と甥ということになるねえ」

「ハァッハッハッハッハ！」

諸兄様が心底可笑《おか》しそうな大声で笑い出された。

「いやいや業平殿、いくらなんでもそれは穿《うが》ち過ぎというものだ！」

「まったくです！」

と国経様も賛同なされた。

「その説では、わたしは早良親王の孫ということになってしまうではありませんか！」

「ふふ……」

と肩を揺らされて、業平様は空になっていた盃を差し出され、千寿が注いで差し上げた酒を一口すってから仰せられた。

「もしも俺の推論が当たっているなら、俺は藤原北家の命運を左右しかねぬ重大な秘密を握ったことになるわけで、じつに愉快千万だな」

それからニヤとしながら国経様を見やられて、

「この程度には甲斐性のある男だ。いいかげん千寿はあきらめて、恋うる相手は俺にせぬか」

と、あながち冗談でもなさそうな声音でおっしゃった。

千寿はドキリとなって顔を伏せ、

「いやなことです」

と国経様は仰せられた。

「なぜだ。俺なら今夜にでもそなたの思いに応えてやれるぞ」

との業平様のからかいに、つんと顎を上げて切り返された。

「そういうあなたこそ、わたしを千寿殿の代わりに弄《もてあそ》ぼうという企みはいいかげんお捨てください」

「代わりではなく次善の策だ」

「なお悪いっ」

「ずいぶんと親しげではないか、業平殿」

諸兄様が首をかしげている口調で仰せになり、業平様はお口に運ばれた盃の陰でククッと喉を鳴らされた。

「うむ、だいぶ飼い馴《な》らした」

「失礼なっ」

と国経様は吐き捨てられたが、本気で腹を立てているお声ではなかった。つと横目で諸兄様をごらんになり、おっしゃった。

「諸兄殿は、このわがまま気ままな性根曲がりのお人の、どこが気に入られての親友づき合いなのですか」

「うむ？　そうさな……」

諸兄様は少しお考えになられてからお答えになった。

「強引で人の言うことに耳を貸さず、勝手気ままにわが道のみを行くふりで、じつは細やかに友を気遣う男であるところかな」

「おいおい、いつの間にそんな歯の浮く追従《ついしょう》が言えるようになった」

業平様が意地悪くおからかいになり、諸兄様はまじめなお顔で言い返された。

「どこが追従か。半分は悪口だ。強引で勝手かと思うと裏であれこれ気遣いをまわしていたりするから、嫌うに嫌えず、まこと厄介な食えぬ男だと言っているのだからな」

「それは俺には褒め言葉だ」

しゃあしゃあとした調子で業平様はやり返されて、

「おう、月が昇ったな」

と張り出し縁の向こうを見やられた。

東に向かって作られた月見殿のちょうど正面に見える、東山の稜線《りょうせん》をしらじらと輝かせて、大きな大きな満月が顔をのぞかせていた。

「千寿、縁の灯しを引いてくれ」

と言いつけられて、縁先に灯してあった灯明《とうみょう》を月見のじゃまにならぬ部屋のすみに引いた。

「国経、一差しどうだ」

「舞いですか」

「先ほどの催馬楽に負けぬ俺たちの修練ぶりを、二人に拝ませてやろうではないか。あるいは高空の月の気を変えられるかもしれぬぞ」

「おう、『納曾利《なそり》』か？　もう仕上がったのか」

「『破』の段がようような。千寿、誰ぞに申しつけて太鼓を持って来させろ」

「はい」

「打ち手がいないぞ」

「そこにいるではないか」

業平様は、下座で以蔵殿と注《つ》ぎ合いに酒を嘗《な》めていた傀儡宿の三蔵殿を指された。

「へ？　わ、わしでござりまするか？」

「とぼけるな。止鳥《ととり》の義弟で、女でしくじって雅楽《ががくりょう》寮を追われた多三蔵《おおのみくら》とは、その方だろうが」

「こりゃ……二十年も前の話をほじくり出されてはたまりませぬな」

三蔵殿はそう頭をかき、

「『納曽利』でござるか。さて、まだ打て申すかどうか」

渋面を作ってしぶりつつも、目の色はうれしそうだった。

山の端《は》からほのぼのと照らす大きな月を借景にした、月見殿の張り出しを舞台に、三蔵殿の太鼓が拍子をとっての、お二人の舞いを拝見した。

直衣《のうし》姿のお二人は、桴《ばち》の代わりに笏《しゃく》をかざして舞われたが、そのぴたりと手足そろった舞いぶりはお見事で、そうしたふだんのお衣裳でのなかば余興の戯れ遊びであることも、かえって舞いの風雅を増すようだった。

お二人が舞い終えられると、諸兄様は感心しきったお声で唸《うな》られた。

「ううむ、これは見事だ。いや、美しかった。のう千寿？」

千寿も心の中の心地よい余韻《よいん》をほうとため息をついて申し上げた。

「はい、まことに凜々《りり》しゅう美しゅうございました」

「惚れたか？」

と業平様が悪戯げに笑まれ、千寿は胸にキュンと甘い痛みを覚えた。すばらしい舞い姿をお見せになった大好きな兄様と思うお方の、そうしたからかいがうれしかった。

「千寿は舞うのは好きではございませなんだが、お二方のように舞えますなら、舞いも楽しゅうございましょう」

「習うてみるか？　童舞《わらわまい》ではのうて本格の舞楽をだ」

諸兄様がおっしゃり、千寿は考えてみた。

「業平様に太刀を、頼直様に馬と弓をお習いいたしまするうえに、舞いの稽古まで始めましては、諸兄様のお世話をさせていただく時間がずんと減ってしまいまする」

「ふむ、俺が漢籍を見てやる時間がなくなるのは困るが、舞いも始めるなら早いに越したことはなかろう。どうだ、業平殿」

「俺は学問はサボり倒したからな。国経、どうだ」

業平様はそう話をまわされ、国経様は肩をすくめて仰せになった。

「わたしは十二の時から、それらのうえに書と画も学んできましたよ」

「お言葉でございまするが、わたくしには小舎人童のお勤めと、諸兄様にお仕えするご用がござりまする」

ちょっとカチンとなりながら千寿は言い返し、諸兄様がお口をお添えになった。

「俺も、身の回りのことは千寿でないと足りぬしなあ」

「贅沢《ぜいたく》者めっ」

と業平様に睨まれて、ハハハとお首をなでられた。

「しかしまあ、学びたいと思うた時が学び時だ。やる気があれば暇は作れるものだしな」

どうだ、舞いの稽古も始めてみるか、とお尋ねくだされた諸兄様に、千寿はわくわくしながら「はい」とうなずいた。業平様と国経様の、息の合った連れ舞いのすばらしさが、千寿の心を強く魅きつけていた。

「師には誰がよかろうか」

「俺でもよいが、しばらくは国経に花を持たせてやろうか」

それは困る、と千寿は思い、諸兄様も「雅楽寮から雇おうという話だ」とおっしゃったが、

「右大臣の甥は『虫よけ』には使えるぞ」

という業平様の返しに、「む……」と眉根を締められた。

「それは……」

「ああ、言葉どおりだ。このたびの拉致は犯人もわかって解決したが、千寿を騎馬武者に襲わせた者はいまだにわかっていない。また今回のことも、岳見をそそのかした黒幕がいるような

気が、俺はしている。主上の名を使うという大胆僭越なやり口は、あのまじめ一方の石頭には似合わぬことと思わんか」

「たしかに……な」

「国経と千寿が親しくすれば、まわりは右大臣の意向が働いていると見るだろう。右大臣も後ろ盾にくわわったと見せるのは、多少とも敵への抑止になると思うぞ。

国経が千寿に手出しする心配については、ない、と俺が保証する。そうだな、国経？」

「もう充分に嫌われているこのうえに、憎まれまでしたくはありませんね」

国経様のついたため息は、まじめな本心からのそれに聞こえた。

「うむ」

と心を決めるようにうなずかれて、諸兄様はしぶしぶといったお顔を国経様に向けられた。

「千寿の舞いの指導、頼まれてくれるだろうか」

「わたしが教えられるところまでは見ましょう」

国経様は真剣な表情で言われ、言い添えた。

「良房叔父も、帝や東宮のお心安きを願って唐に渡ろうとした千寿殿のけなげな心映えには、涙するほど感じ入っておりました。こうしたことと話せば、喜んで後ろ盾に立ってくれましょう」

「東宮の践祚《せんそ》を妨げる気がないとわかれば、身内に取り込んでおくのが得策だからな」

業平様が皮肉たっぷりに言われたが、国経様は苦笑されただけで反論はなさらなかった。

「さてさて、ではつぎは歌詠みと行くか。題は『望月』だ。漢詩でも万葉調でも民謡ぶりでもいいぞ」

業平様が仰せ出しになり、歌をお作りになるのはお得意ではない諸兄様は、ううむとお困りのお顔をなされた。そのご正直な閉口顔が諸兄様らしくて可笑しかったので、

「代筆はわたくしがいたしますゆえ」

と、ついおからかいしたら、

「そなた、言うことが業平殿に似てきたぞ」

とむくれられてしまった。

千寿はお詫《わ》びとして、諸兄様の番を二度お代わりして歌を詠んだが、どちらも自分の耳にもいい出来ではなくて、恥ずかしい思いをしてしまった。

秋の夜の宴は、皓々《こうこう》とした名月の見守る下で、果てもなく賑《にぎ》やかになごやかに続き、宴がはねた時には、千寿は諸兄様のお膝を枕に眠ってしまっていたのだった。

あとがき

こんにちは、秋月《あきづき》です。『王朝ロマンセ』のシリーズも三巻目となりました。あれやこれやの波乱に巻き込まれ、おのれの出自を知った千寿が一度は悲しい訣別を決めた秋の出来事……ご感想はいかがだったでしょうか。

お正月のかるた取りでおなじみの小倉《おぐら》百人一首に、

『ちはやぶる　神代も聞かず　竜田川　からくれなゐに　水くくるとは』

という業平の歌が収められています。川の流れ一面に唐紅色のもみじが美しく散り落ちて、まるでくくり染め（いまで言う『絞り染め』でしょうか?）のようだという、秋の風情を詠《うた》った歌ですが、いまでも紅葉の季節は、見物客がドッと押し寄せる京都《きょうと》の観光シーズンです。

平安朝は『雅《みやび》』の文化が最高潮に達した時代として知られていますが、絢爛《けんらん》たる王朝文化には華麗な紅葉の季節が似合うという、雅楽の解説書にあった一文はなるほどと思います。

ただし残念ながら、この物語の中では紅葉風景は書き損ないましたが。だって、中秋の名月で話が終わっちゃったんですもん。中秋（八月）っていうのは現代のカレンダーでいうと九月中旬ぐらいからで、京都で紅葉が見られるのは晩秋（陰暦九月＝十月中旬）に入ってから（ですよね、京都の方?）なんだもん。

なので、千寿と諸兄や業平様たちの紅葉狩りの情景は、ご想像にお任せします。

ところでちょうどいまは全国的にひな祭りのシーズンですが、なんと偶然にも地元のデパートで、神泉苑での船遊びのシーンを再現したようなひな人形（っていうか王朝ロマンドールとでも言う?）を見つけました。
五、六十センチ（?）の大きさの二隻の船は、それぞれ舳先に龍頭と鳳頭の飾りをつけ、それを水干姿の童が竿《さお》を使って漕いでいて、（わお、これって立体ロマンセじゃない）とか思ってしまいました。人形作家さんの名前は見損ないましたが、たぶん『久月』とかいったあたりの商品じゃないかしら。熊本《くまもと》の方は、鶴屋東館の一階玄関前に飾ってありますから、三月三日までは見られるんじゃないかと思います。
さて、いよいよ身の上もあきらかになった千寿ですが、つぎの『冬』の巻では諸兄様と一緒に、政争に巻き込まれた業平様の受難を救う大活躍をする予定です。だって諸兄様も、助けられてばっかりじゃねェ。こんどはちょっといいところを見させてあげようと思うんですよ。

そんなわけですので、唯月一《ゆづきいち》さんの絵によるコミックス版（『Ｃｈａｒａセレクション』に連載中!　オススメです♡）ともども、次巻もよろしくお願いいたします。

それでは、またお会いいたしましょう。

この本を読んでのご意見、ご感想を編集部までお寄せください。

《あて先》〒105－8055　東京都港区芝大門2－2－1　徳間書店　キャラ編集部気付

「秋月こお先生」「唯月　一先生」係

■初出一覧

王朝秋夜ロマンセ……書き下ろし

Chara

王朝秋夜ロマンセ

……【キャラ文庫】

2003年2月28日　初刷

著者　秋月こお
発行者　市川英子
発行所　株式会社徳間書店
〒105-8055　東京都港区芝大門2-2-1
電話03-5403-4324(販売管理部)
03-5403-4348(編集部)
振替00140-0-44392

印刷　大日本印刷株式会社
製本　株式会社宮本製本所
カバー・口絵　近代美術株式会社
デザイン　海老原秀幸

ISBN4-19-900260-X

好評発売中

秋月こおの本

【セカンド・レボリューション】

やってらんねェぜ！外伝　全4巻

イラスト◆こいでみえこ

強引でしたたかな青年実業家・斉《さい》田《た》叶《かなえ》の唯一の弱点《ウイークポイント》は、ヘアデザイナーの真木《まさき》千里《ちさと》。叶は高校以来のこの親友に、十年も密かに恋しているのだ。けれど、千里は今なお死んだ恋人の面影を追っていて…。報われぬ想いを抱えたまま、誰と夜を重ねても、かつえた心は癒されない。欲しいのは千里だけだから——。親友が恋人に変わる瞬間《とき》を、鮮やかに描く純愛ストーリー。

好評発売中

秋月こおの本
【王様な猫】

イラスト◆かすみ涼和

大学生の星川光魚《ほしかわみつお》は、なぜか動物に好かれる体質。そこで、その特技を活かし、住み込みで猫の世話係をすることに。ところがバイト先にいたのは、ヒョウと見紛う大きさの黒猫が三匹。しかも人間の言葉がわかるのだ。驚く光魚に、一番年下のシータは妙になついて甘えてくる。その上、その家の孫らしい怪しげな美青年達も入れ替わり立ち替わり現れ、光魚を誘惑してきて!?

好評発売中

秋月こおの本
【王様な猫と調教師】

王様な猫4

イラスト◆かすみ涼和

大学生の光魚《みつお》の恋人は、人間に変身できる黒猫・シータ。シータの一族も公認の仲だ。そこで光魚は掟《おきて》に従い、彼らの歴史を学ぶことに。先生役は、人猫達の王様・シグマ。一族唯一の白猫で、光魚の密かな憧れの人♥ある日、勉強の合間にシグマの調香室を見学していた光魚は、誤って媚薬を零《こぼ》してしまう。ところが、そのとたんシグマの様子が豹変!!　発情して光魚を抱きしめてきて!?

好評発売中

秋月こおの本

【王様な猫の戴冠】

王様な猫5

イラスト◆かすみ涼和

人間に変身できる猫・シータと、憧れの二人暮らしを始めた光魚《みつお》。同時に美術の専門学校に移り、念願の絵描きの道を目指すことに。シータも東大に編入するや、一族の悲願「我らが王都」を再建すると言い出した!!　二人とも毎日忙しくて、気がつけばHは二週間もご無沙汰。嫉妬も独占欲も相変わらずだけど、もしやシータの発情期がついに終わった!?　人気シリーズ、完結♥

好評発売中

秋月こおの本
【王朝春宵ロマンセ】
イラスト◆唯月 一

利発で愛らしい千寿丸《せんじゅまる》は、大寺で働く捨て子の稚児。でも実は、高貴な家柄のご落胤《らくいん》らしい!?　出生の秘密を巡って僧達に狙われ、ある晩ついに寺を出奔!!　京を目指して逃げる途中、藤原《ふじわらの》 諸兄《もろえ》に拾われる。有能な若き蔵人《くろうど》の諸兄は、帝の側仕《そばづか》えの秘書官で、藤原一門の御曹司。一見無愛想な諸兄に惹かれ、千寿は世話係として仕えることに!?　京の都で花咲ける、恋と野望の平安絵巻♥

好評発売中

秋月こおの本

【王朝夏曙ロマンセ】

王朝春宵ロマンセ2

イラスト◆唯月 一

今をときめく右大臣の甥《おい》と、捨て子の千寿丸《せんじゆまる》が瓜二つ!? 夏の宮中行事「騎射《うまゆみ》」で出会った、端正な美貌の青年貴族・藤原国経《ふじわらのくにつね》。千寿は「私と同じ顔とは不遜だ」と目をつけられてしまう。でも心配性な恋人の藤原諸兄《もろえ》には知られたくない…。千寿は一件を隠したまま、翌日から諸兄の推薦を受けて、正式な小舎人童《こどねりわらわ》として昇殿する。けれど早速国経に再会して!? 恋と陰謀渦巻く内裏《だいり》編♥

投稿小説★大募集

『楽しい』『感動的な』『心に残る』『新しい』小説——

みなさんが本当に読みたいと思っているのは、どんな物語ですか？　みずみずしい感覚の小説をお待ちしています！

•応募きまり•

[応募資格]

商業誌に未発表のオリジナル作品であれば、制限はありません。他社でデビューしている方でもOKです。

[枚数／書式]

20字×20行で50〜100枚程度。手書きは不可です。原稿はすべて縦書きにして下さい。また、800字前後の粗筋をつけて下さい。

[注意]

①原稿の各ページには通し番号を入れ、次の事柄を１枚目に明記して下さい。（作品タイトル、総枚数、ペンネーム、本名、住所、電話番号、職業、年齢、投稿・受賞歴）
②原稿は返却しませんので、必要な方はコピーをとって下さい。
③締め切りは特別に定めません。面白い作品ができあがった時に、ご応募下さい。
④採用の方のみ、原稿到着から３カ月以内に編集部から連絡させていただきます。また、有望な方には編集部からの講評をお送りします。
⑤選考についての電話でのお問い合わせは受け付けできませんので、ご遠慮下さい。

[あて先]

〒105-8055 東京都港区芝大門2-2-1
徳間書店 Chara編集部 投稿小説係

投稿イラスト★大募集

キャラ文庫を読んで、イメージが浮かんだシーンをイラストにしてお送り下さい。キャラ文庫、『Chara』『Chara Selection』『小説Chara』などで活躍してみませんか？

•応募きまり•

[応募資格]

応募資格はいっさい問いません。マンガ家＆イラストレーターとしてデビューしている方でもOKです。

[枚数／内容]

①イラストの対象となる小説は『キャラ文庫』か『Chara、Chara Selection、小説Charaにこれまで掲載された小説』に限ります。既存のイラストの模写ではなくオリジナルなイメージで仕上げて下さい。
②カラーイラスト１点、モノクロイラスト３点の合計４点。カラーは作品全体のイメージを。モノクロは背景やキャラクターの動きの分かるシーンを選ぶこと（裏にそのシーンのページ数を明記）。
③用紙サイズはＡ４以内。使用画材は自由。

[注意]

①カラーイラストの裏に、次の内容を明記して下さい。（小説タイトル、ペンネーム、本名、住所、電話番号、職業、年齢、投稿・受賞歴、返却の要・不要）
②原稿返却希望の方は、切手を貼った返却用封筒を同封して下さい。封筒のない原稿は編集部で処分します。返却は応募から１カ月以内。
③締め切りは特別に定めません。採用の方のみ、編集部から連絡させていただきます。選考結果の電話でのお問い合わせはご遠慮下さい。

[あて先]

〒105-8055 東京都港区芝大門2-2-1
徳間書店 Chara編集部 イラスト募集係